afgeschreven

Openbare Bibliotheek
OUDERKERK
Koningin Julianalaan 18
1191 CD Ouderkerk a/d Amstel
Tel. 020 - 496 13 76
Fax 020 - 496 42 86

afgeschreven

NICK ARNOLD

EXTREME ENERGIE!

Geïllustreerd door
Tony De Saulles

Kluitman

NEDERLANDSE
KINDERJURY
2008

Omslagontwerp: Nils Swart Design/Design Team Kluitman
Nederlandse vertaling: Inge Pieters

Nur 231 / G020701
© MMVII Nederlandse editie: Uitgeverij Kluitman Alkmaar B.V.
© MMI tekst: Nick Arnold
© MMI illustraties: Tony De Saulles

Oorspronkelijke uitgave: Scholastic Children's Books
Oorspronkelijke titel: _Horrible Science. Killer Energy_
Published by arrangement with Scholastic Ltd, Euston House
24 Eversholt Street, London NW1 1DB, UK

www.kluitman.nl

INHOUD

INLEIDING

Ik hoop dat je niet al te bang bent aangelegd, want… je gaat zo kennismaken met een gigantisch, supersterk MONSTER!

VRRROEMM!

We hebben het hier over een oeroud monster (ja, zelfs nog ouder dan je leraar). Het is zelfs zo ontzettend oud dat het net zo oud is als de tijd zelf. En het ongelooflijke van dit monster (dat er altijd is!) is dat niemand het ooit heeft gezien - tot nog toe dan.

Dit monster heet ENERGIE!

Het Energiemonster komt overal. Het laat sterren stralen en vuurtjes vlammen; het zet alles in beweging, van de sloomste slak tot het vlugste vliegtuig. Maar denk nu vooral niet dat dit

Energiemonster een soort Grote Vriendelijke Reus is. Echt niet! Haal diep adem en lees verder… als je durft!

Soms is het Energiemonster een maniakale moordenaar die mensen op helse manieren kapot kan maken. Gewone wetenschappelijke boeken staan nooit stil bij dit soort bizarre bijzonderheden, maar dit is een *waanzinnig* wetenschappelijk boek en dus kom je hier te weten wat je werkelijk wilt weten…

● Hoe extreme energie mensen in brand laat vliegen – als ze een scheet laten…

● Waarom deze man puur vet eet als ontbijt…

● Waarom deze wetenschapper ratten dronken voert…

- Plus het ultieme einde van het universum (en denk je eens in wat dat voor jouw vakantieplannen kan betekenen...).

WAARSCHUWING VOOR DE VOLKSGEZONDHEID!

Dit boek staat vol weer-zinwekkende weetjes, smerige taal en zieke strips waar leraren en andere gevoelige types nogal van kunnen schrikken.

SCHRIK! GRUWEL!

Hopelijk sta jij wat sterker in je schoenen. Heb je genoeg energie om de bladzijde om te slaan?

EH... VOORUIT DAN MAAR.

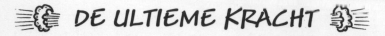

DE ULTIEME KRACHT

Zijn je hersenen lekker warmgedraaid? Zo niet, dan zet de volgende stiekeme strikvraag ze wel zo hard aan het werk dat de stoom je uit de oren slaat. Klaar? Oké, hier komt-ie…

Wat hebben de volgende dingen met elkaar gemeen?

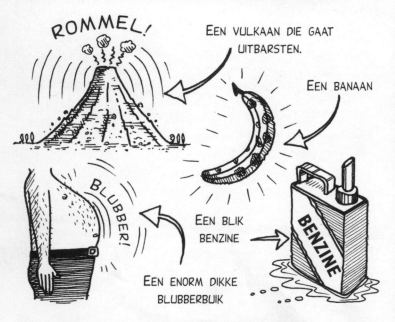

ROMMEL!

EEN VULKAAN DIE GAAT UITBARSTEN.

EEN BANAAN

BLUBBER!

EEN BLIK BENZINE

BENZINE

EEN ENORM DIKKE BLUBBERBUIK

Geef je het op?

Het antwoord is dat ze allemaal *energie* opslaan…

De vulkaan slaat warmte- en bewegingsenergie op. En als hij uitbarst, heb je heel wat bewegingsenergie nodig om op tijd weg te komen. Bananen vormen geweldige energievoorraden – daarom eten tennissers er soms wel zes per wedstrijd. Benzine is brandstof en zit dus vol energie. En die dikke pens bevat vet en dat vormt ook een energievoorraad…

10

En nu wilden we dus aan een leraar vragen om te vertellen wat energie is. Maar we konden er niet een vinden die het wist. Kijk maar:

Ja hoor! Moet ik dan echt alles zelf weer uitleggen?

Dossier extreme energie

NAAM: *Energie*

DE SIMPELE FEITEN: 1. *Energie is de kracht die dingen in beweging brengt. Aangezien alles in het heelal beweegt, wordt alles dus voortgedreven door energie.*

GRIEKS? VERSTA IK NIET!

2. *Het woord 'energie' is Grieks voor 'werkzame kracht'.*

3. *Energie heeft allerlei vormen …*

● **Energie die is opgeslagen in eten en andere stoffen.**

STEEN-KOOL

HIER ZIT BIJVOORBEELD ENERGIE IN.

- **Potentiële energie die in de toekomst gebruikt kan worden.**

STEEN VOL ENERGIE OM OOIT DE BERG AF TE ROLLEN.

- **Bewegingsenergie.**

NU MAAR HOPEN DAT DIT KIND GENOEG BEWEGINGSENERGIE HEEFT.

- **Warmte-energie.**

WARMTE IS EEN VEEL VOORKO-MENDE SOORT ENERGIE.

En geluid, licht, elektriciteit en magnetisme zijn ook vormen van energie. Ik zei toch al dat het Energiemonster overal komt!

EXTREME DETAILS: Alle executie-methoden gebruiken een vorm van energie. Zoals je hier ziet...

DODELIJK MES MET DE POTENTIËLE ENERGIE OM OMLAAG TE VALLEN.

Energie laat dus dingen bewegen en kan verschillende vormen aannemen. Maar dat moest eerst door iemand ontdekt worden. Het zal je niet verbazen dat wetenschappers in het verleden idiote ideeën over energie hebben gehad. Hier zie je er vier die allemaal hun eigen idee verdedigen...

De grote energie discussie

ARISTOTELES (384-322 V.CHR.) BEROEMDE GRIEKSE FILOSOOF

GOTTFRIED LEIBNIZ (1646-1716), DUITSE WETENSCHAPPER, FILOSOOF, WISKUNDIGE, GESCHIEDKUNDIGE EN BETWETER OP ALLERLEI TERREINEN

ANAXAGORAS (500-428 V.CHR.), IETS MINDER BEROEMDE GRIEKSE FILOSOOF

GEORG ERNST STAHL (1660-1734), DUITSE WETENSCHAPPER

DINGEN HEBBEN ENERGIE OM TE BEWEGEN OMDAT ZE WORDEN GELEID DOOR EEN SUPERIEURE, ONZICHTBARE INTELLIGENTIE: DE 'NOUS'.

ONZIN! DE DINGEN BEWEGEN DANKZIJ EEN ONZICHTBARE STOF, HET 'PNEUMA'.

DAAR ZIE IK ANDERS NIKS VAN!

NEE, WANT HET IS ONZICHTBAAR, IDIOOT!

GRRRRR!

JULLIE ZITTEN ER ALLEBEI NAAST. LEVENDE DINGEN BEWEGEN OMDAT ZE BEZIELD WORDEN DOOR EEN LEVENSGEEST.

Deze ideeën waren ongeveer net zo slim als een leeuw te lijf gaan met blote handen!

Pas tegen het jaar 1850 begonnen een paar wetenschappers (onafhankelijk van elkaar) vaag iets wetenschappelijks te vermoeden over energie. En toen kwamen ze met de wetten van de thermodynamica. En als je nu dacht dat ik het over thermosokken had, dan moet je nodig het volgende hoofdstuk gaan lezen om te ontdekken wat ik bedoel.

HET WETBOEK VAN ENERGIE

In dit hoofdstuk kun je van alles lezen over de wetten van de thermodynamica. Die klinken ontzettend deftig en indrukwekkend, maar eigenlijk zijn ze doodsimpel te begrijpen. (Niet doorvertellen hoe makkelijk precies! Met een beetje geluk denken je vrienden dat je een wetenschappelijk genie bent.)

Dossier extreme energie

NAAM: *wetten van de thermodynamica*

DE SIMPELE FEITEN: 1. *'Thermodynamica' betekent 'bewegende warmte'. Deze wetten vertellen wat warmte-energie doet en hoe die in verband staat met andere vormen van energie.*

HA, HA, HA, HA, HA, HA, HA, HA, HA, HA!

2. *Met 'wetten' bedoelen wetenschappers overigens wetenschappelijke verklaringen die zijn bewezen met allerlei experimenten.*

3. *Probeer de wetten maar eens te doorbreken, dan ontdek je al snel dat...*

a) *dat onmogelijk is...*

b) *en je keihard uitgelachen wordt door een bende harteloze wetenschappers die allang wisten dat het onmogelijk is, maar je niet hebben gewaarschuwd omdat ze je voor gek wilden zetten.*

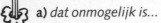

HA, HA, HA, HA!

Oké, wat zeggen die wetten dan?

Even voorstellen: Harvey Tucker, de grootste journalist van Australië – nou ja, in elk geval de dikste (en de luiste).

Verderop in dit boek gaat hij energie onderzoeken (als hij daar de energie voor heeft). Maar eerst mag Harvey proberen uit te leggen hoe deze wetten werken.

17

Anyway, het zit zo...

WET EEN:

Energie kan niet worden gemaakt of vernietigd.
Maar warmte-energie kan wel gebruikt worden om
bewegingsenergie te krijgen en bewegingsenergie
kan veranderen in warmte-energie. Dat klopt, kids!
Als ik aan het werk zou gaan, zou ik meer bewegingsenergie gebruiken en daardoor zou ik meer
warmte-energie voelen. Dus blijf ik hier liever lekker zitten, dan bespaar ik mooi weer wat energie.

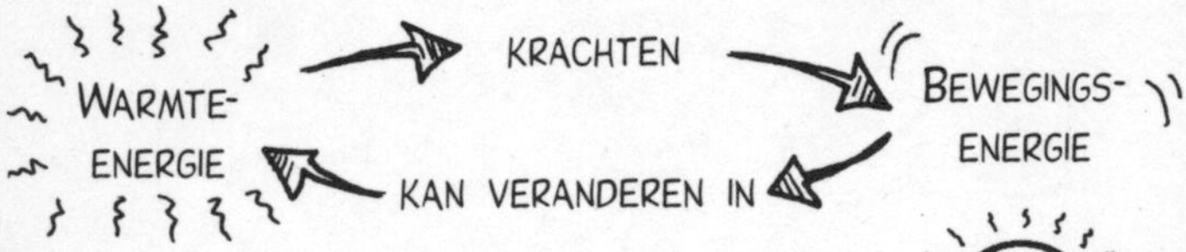

WARMTE-ENERGIE → KRACHTEN → BEWEGINGS-ENERGIE

KAN VERANDEREN IN

WET TWEE:

Warmte-energie beweegt altijd
van warme dingen naar koude dingen toe, dus de warmte van de
zon verwarmt mijn koude drankje.
Ja, duh! Als warmte van koude
plekken naar warme plekken bewoog, zou mijn drankje in de zon
juist koud worden. En dat zie
ik niet zo snel
gebeuren.

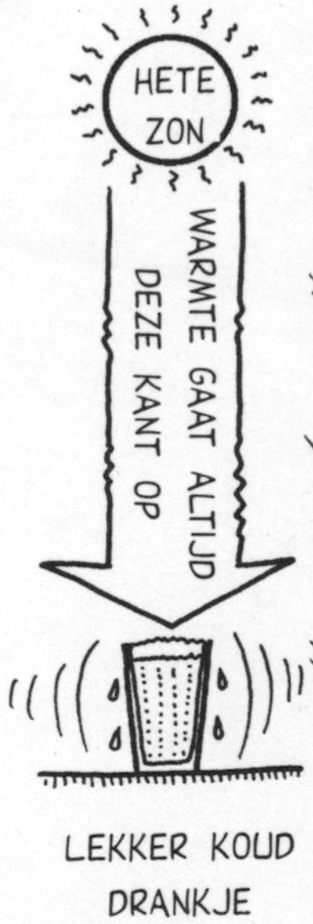

HETE ZON

WARMTE GAAT ALTIJD DEZE KANT OP

LEKKER KOUD
DRANKJE

WET DRIE:

Je kunt het nooit kouder dan −273,16°C krijgen, ook wel bekend als het 'absolute nulpunt'. Als iets zo koud wordt, heeft het volgens de wetenschappers geen warmte-energie meer! Gelukkig wordt het in Australië nooit zo koud. De rillingen lopen me nu al over mijn rug. Maar wet twee zegt dat warmte altijd naar iets kouders toe moet, dus kun je iets niet tot het absolute nulpunt afkoelen. Pfff, ik word helemaal suf van al dat wetenschappelijke gedoe! Ik kan wel wat energie gebruiken. Uit deze overheerlijke, extra grote reep bijvoorbeeld. Yummie!

WARMTE — WARMTE
WARMTE — WARMTE
WARMTE BEWEEGT NAAR IETS KOUDERS TOE ALS DE TEMPERATUUR DAALT
WARMTE — WARMTE
WARMTE — WARMTE
ABSOLUTE NULPUNT

GEEN KOUDERE PLEK MEER WAAR WARMTE NAARTOE KAN!

In de volgende twee hoofdstukken kijken we naar de wetten twee en drie, maar nu bemoeien we ons alleen nog even met wet een. Wist je dat een van de wetenschappers die aan de eerste wet werkte, op het idee kwam door *bloed*? Echt waar! Lees verder voor de bloederige bijzonderheden…

19

Eregalerij der groten: Julius Robert von Mayer (1814-1878)
Nationaliteit: Duits

„Och, jeetje! Ik heb een slagader geraakt! Zit stil, anders bloed je dood!"
De jonge dokter werd lijkbleek en zijn
handen trilden, terwijl hij de kom
naast de gespierde arm van de matroos hield. De kom liep langzaam vol
bloed. Helderrood, glinsterend bloed, zoals dat onder hoge
druk via het hart door de aderen stroomt.
Maar de matroos liet een zwak lachje horen. Het was een
pijnlijk lachje, omdat het bloed nog steeds uit zijn arm spoot
en hij volkomen uitgeput was van de koorts. „Schrik maar niet
zo, dokter. Ons bloed komt er in deze omgeving altijd zo rood
uit. Ik weet ook niet waarom, maar zo is het nou eenmaal."
De dokter zette de kom met bloed neer. De gedachten raas-
den door zijn hoofd. Toen verbond hij de arm van de zeeman
met een groezelig verbandje om het bloed, dat nog steeds uit
zijn arm drupte, te stelpen.

In 1840 geloofden dokters zoals Von Mayer dat aderlating de
beste remedie tegen allerlei ziektes was. Dus tapten ze bloed
af uit de aderen van hun patiënten. Maar toen Julius dat op

het Indonesische eiland Java probeerde, zag hij dat het bloed helderrood was, zelfs in de aderen, waar het normaal donkerrood is. Julius von Mayer stond op het punt om een enorme ontdekking te doen... die hem bijna fataal werd.

Julius had niet veel geluk in het leven. Hij deed het niet zo goed op school en hij werd van de universiteit gegooid, omdat hij lid was van een geheime club die zijn leraren niet zo zagen zitten.
Von Mayer mocht het volgende jaar weer verder studeren. Hij studeerde medicijnen en werd scheepsarts. En zo kwam hij dus in 1840 in Batavia terecht, de hoofdstad van Nederlands-Indië, die tegenwoordig Jakarta heet. Dat rode bloed zette hem aan het denken. Hieronder kun je lezen hoe Von Mayer het raadsel te lijf ging in brieven aan zijn broer.

Batavia, Java, 1841

Beste Fritz,
Herinner je je dat rode bloed nog waarover ik het in mijn laatste brief had? Ik wel; ik krijg het niet uit mijn hoofd en nu heb ik iets bedacht!
1. Helderrood bloed bevat zuurstof. Het lichaam heeft zuurstof nodig om te overleven. Daarom ademen we ook!
2. Het bloed in de aderen van die matroos was helderrood van de zuurstof. Aangezien aderen het bloed terugvoeren vanuit het lichaam, betekent dit dat de matroos minder zuurstof verbruikte dan normaal.

ZUURSTOF

21

3. Ik denk dat het lichaam zuurstof gebruikt om warm te blijven. Maar als het zo warm is als hier (sorry voor die zweetvlekken!), heeft het lichaam dus minder zuurstof nodig.
Ja, volgens mij ben ik eruit! Wat denk jij?

Je broertje,
Juul

MEER ZUURSTOF

MINDER ZUURSTOF

Batavia, Java, 1841

Hoi Fritz,
Daar ben ik weer...
Geen idee hoe het komt, maar ik heb ineens allemaal van die fantastische nieuwe ideeën!

1. Ik denk dat het lichaam niet alleen zuurstof nodig heeft om warmte te maken, maar ook voedsel. Net zoals een kampvuur ook brandstof en zuurstof nodig heeft om fatsoenlijk te branden.

VOEDSEL
+
ZUURSTOF

2. Dus moet een bepaalde vorm van energie veranderen in een andere. Ja, volgens mij zit er energie in voedsel opgeslagen en wordt dat in het lichaam omgezet in warmte- en bewegingsenergie.

Ben ik warm of zijn mijn hersenen ooerver- hit? Ik kan niet wach- ten tot ik weer thuis ben om het aan ieder- een te vertellen!
Je zeer opgewonden broertje,
Juul

ENERGIE

ENERGIE

JIPPIE!

Von Mayer had niet één keer gelijk, maar twee keer! Hij had niet één briljante doorbraak gemaakt, maar twee! Hij was er- achter gekomen hoe het lichaam energie gebruikt én hij had het idee gekregen voor de eerste wet van de thermodynami- ca (die het verband tussen warmte-energie en bewegings- energie aantoont, weet je nog?). Alle andere wetenschappers waren natuurlijk opgetogen en Juul werd beroemd en leefde nog lang en gelukkig... toch?

HOERA!

NEE!

Sorry hoor, maar dit is Waanzinnig om te Weten, en niet een of ander zoetsappig sprookjesboek! Von Mayer schreef een artikel en stuurde dat naar een wetenschappelijk tijdschrift, maar hij kreeg geen reactie. Niemand geloofde hem, omdat hij geen experimenten had gedaan om zijn ideeën te bewij- zen. Dus wijdde Julius maanden en nog eens maanden aan een wetenschappelijke studie, tot hij er genoeg van begreep om zijn artikel in wat wetenschappelijkere termen te herschrijven. Maar toen het artikel gepubliceerd werd, waren andere wetenschappers met hetzelfde idee gekomen. Er volgden verhitte discussies over wie de Eerste Wet echt had ontdekt…

Wist je niet, hè?

1. Een van die andere wetenschappers was de Brit James Joule (1818-1889). James' familie was zo rijk dat hij nooit naar school hoefde (hij had zelfs een topwetenschapper, John Dalton (1766-1844), als zijn hoogstpersoonlijke privé-leraar).

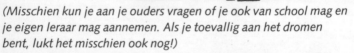

EN DE KOMEN-
DE DRIE WEKEN
WIL IK VRIJ,
DALTON.

NATUURLIJK,
JONGEHEER
JAMES.

(Misschien kun je aan je ouders vragen of je ook van school mag en je eigen leraar mag aannemen. Als je toevallig aan het dromen bent, lukt het misschien ook nog!)

2. James had zijn eigen lab voor energie-experimenten. In 1843 ontdekte hij dat bewegingsenergie omgezet kan worden in warmte-energie, door de temperatuur te meten van water dat werd omgeroerd door een peddel.

3. Tegenwoordig meten wetenschappers energie in joules. Eén joule geeft je genoeg energie om een appel een meter omhoog te tillen. Krijg jij het voor elkaar?

KOM OP!

UHHHGH!

GA DOOR!
JE KUNT HET!

Snel weer terug naar jammerlijke Julius...

Julius bleef een beetje een pechvogel. Hij werd verliefd en trouwde, maar vijf van zijn zeven kinderen overleden aan ziektes. Er brak een revolutie uit in Duitsland en Fritz steunde die, maar Julius werd gearresteerd omdat hij tegen was. Hij werd snel weer vrijgelaten, maar tussen zijn broer en hem kwam het nooit meer goed.

Julius werd steeds ongelukkiger door zijn gebrek aan wetenschappelijk succes. Op een ongelukkige dag besloot hij zelfmoord te plegen. Dat mislukte, maar zijn familie dacht dat hij gek geworden was en hij bracht de volgende tien jaar door in het gekkenhuis.

Pas jaren later beseften de wetenschappers dat de eerste wet van de thermodynamica klopte. Eindelijk, toen Von Mayer al een gebroken, oude man was, gaf de Royal Society (de belangrijkste wetenschapsclub van Engeland) hem een gouden medaille.

Maar over de eerste wet gesproken, hier volgt een experiment waarbij je die in actie kunt zien. Kom op, probeer het maar, het is doodsimpel!

Durf jij te ontdekken... de eerste wet van de thermo-dynamica!

Dit heb je nodig:

DIT BOEK

SCHAAR

STUKJE PLAKGUM OF SPEELKLEI

LINIAAL

BALPEN

PAPIER (GEWOON EEN BLANCO A4'TJE IS HET BESTE)

Dit moet je doen:

1. Leg het papier op de vorm hieronder en trek hem over. Teken de vouw erin met de liniaal.

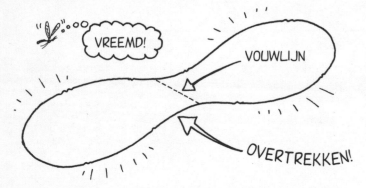

VREEMD!

VOUWLIJN

OVERTREKKEN!

2. Knip de vorm die je hebt getekend uit. Dus niet die uit dit Waanzinnig om te Weten-boek, vooral niet als het uit de bibliotheek komt. Vouw de vorm om langs de lijn. Vouw hem daarna weer open.

3. Plak het stuk plakgum of klei op tafel en steek de pen erin, zodat die overeind blijft staan. Zorg dat hij goed rechtop staat (dat kun je controleren met de liniaal).

4. Laat de uitgeknipte vorm ondersteboven balanceren op de punt van de pen, zodat de zijkanten in een hoek van ongeveer 45° naar beneden hangen. Voorzichtig!

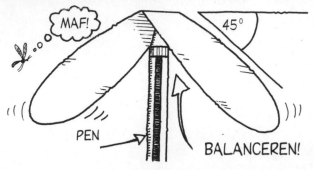

5. Blijf een minuut of twee kijken wat de vorm doet. Leg dan je handen om de pen heen op tafel. (Als ze koud zijn, moet je ze eerst warm wrijven.)

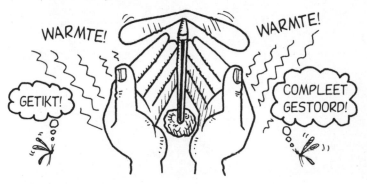

Je zult merken:
a) dat de vorm heen en weer hobbelt?
b) dat de vorm als een helikopter omhoog vliegt?
c) dat de vorm ronddraait en dan ophoudt? (Als ik mijn handen er dichter bij hou, beweegt de vorm nog sneller rond dan eerst.)

> *Antwoord:*
>
> **c)** De vorm wordt voortbewogen door warmte-energie!
> Eerst beweegt hij misschien doordat het tocht, of wiebelt
> hij wat heen en weer bovenop de pen. Maar hij komt pas
> goed in beweging als er warme lucht opstijgt vanaf je han-
> den. Dit bewijst dat de eerste wet klopt en dat warmte-
> energie dingen kan laten bewegen.

En over warmte gesproken, stomtoevallig gaat het er in het
volgende hoofdstuk behoorlijk heet aan toe... Zullen we eens
kijken of je er een beetje warm voor loopt?

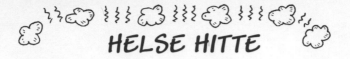

HELSE HITTE

Dit hoofdstuk onthult een paar brandende geheimen over warmte. Bijvoorbeeld hoe de tweede wet van de thermodynamica het hele heelal beïnvloedt en hoe een vreselijk belangrijk worstje de hele geschiedenis heeft veranderd…

Pardon? Je weet niet wat de tweede wet is? Dat is die wet die zegt dat warmte-energie van iets warms naar iets dat kouder is toe stroomt. En trouwens, die tweede wet heeft ook meegedaan aan dat experiment in het vorige hoofdstuk.

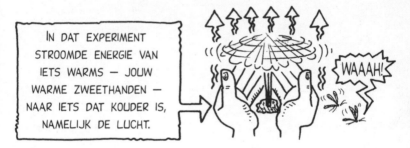

IN DAT EXPERIMENT STROOMDE ENERGIE VAN IETS WARMS — JOUW WARME ZWEETHANDEN — NAAR IETS DAT KOUDER IS, NAMELIJK DE LUCHT.

WAAAH!

En zoals ik al zei, heeft de tweede wet een gigantisch effect op het hele heelal. Neem bijvoorbeeld dit kopje thee…

De tweede wet zegt dat dit kopje thee voortdurend warmte-energie kwijtraakt. Met andere woorden: de thee koelt af. Als je erin blaast, koelt hij zelfs nog sneller af. Je adem blaast de lucht weg die al is opgewarmd door de hete thee, en dan stroomt de warmte-energie nog sneller naar de koelere lucht toe.

HEET!

IS DE THEE AL KLAAR?

WOESJJJ!

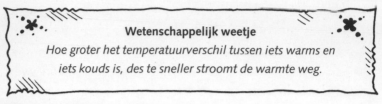

Wetenschappelijk weetje

Hoe groter het temperatuurverschil tussen iets warms en iets kouds is, des te sneller stroomt de warmte weg.

Binnen een half uur is je thee niet echt lekker meer...

Na een uur is hij steenkoud...

De enige manier om de thee weer heet te maken, is hem opwarmen – meer warmte-energie toevoegen dus!

En wat voor die thee geldt, geldt voor alles in het hele heelal! Jazeker, volgens de tweede wet koelt alles de hele tijd af, van sterrenstelsels tot ossenstaartsoep, van wasberen tot warmwaterkruiken. Je lichaam verliest warmte, net als een buitenaards ruimteschip aan de andere kant van het universum.

* WE VERLIEZEN WARMTE, KAPITEIN!

* DIE STOMME TWEEDE WET OOK ALTIJD!

De enige manier om warm te blijven, is er nog een schepje warmte-energie bovenop doen. En dat wil zeggen dat je die smerige rijstepap van je vader netjes moet opeten, verteren en omzetten in energie om de warmte die je vandaag bent kwijtgeraakt, aan te vullen.

Die ellendige tweede wet heeft nog veel slechter nieuws voor je in petto, maar dat lees je wel in het laatste hoofdstuk. Eerst moeten we meer te weten zien te komen over een heel heet hangijzer…

Dossier extreme energie

NAAM: *Warmte-energie*

DE SIMPELE FEITEN:

1. *Als je dit spikkeltje roos zou bekijken door een ultrakrachtige microscoop (krachtiger dan alle microscopen van de hele wereld), dan zou je de piepkleine atomen zien waaruit het bestaat.*

WIEBEL

2. *De atomen wiebelen heen en weer. Deze beweging noemen we warmte-energie. Hoe warmer de atomen zijn, des te sneller gaan ze heen en weer. Kun je het nog volgen?*

EXTREME DETAILS: 1. *Op het absolute nulpunt (-273°C) kunnen atomen niet bewegen – dan kan er zelfs geen minuscuul miniwiebeltje af. De atomen hebben dan helemaal geen warmte-energie.*

2. *Extreem lage temperaturen kunnen dode lichamen voor eeuwig goed houden. (Lees het volgende hoofdstuk en de koude rillingen lopen je over de rug.)*

Theorieën vol gebakken lucht…

Je kunt van wetenschappers niet verwachten dat ze dit allemaal meteen doorhebben. De ideeën die ze vroeger over warmte hadden, waren dan ook echt theorieën van de koude grond. Luister maar eens naar de Zwitserse wetenschapper Pierre Prévost (1751-1839).

VOLGENS SOMMIGEN ZIJN WARM EN KOUD ONZICHTBARE STOFFEN EN ZE NOEMEN DE KOUDE STOF 'FRIGUS'*.

KLETSKOEK! KOU IS NATUURLIJK GEWOON GEBREK AAN WARMTE…

O JA, EN DE WARME STOF HEET 'CALOR'*.

* *Deze woorden komen uit het Latijn. 'Calor' betekent hitte, 'frigus' koude.*

Dat 'calor'-gedoe was natuurlijk zo'n onzin dat je het er koud van krijgt, maar de theorie van Prévost werd pas weerlegd toen de Amerikaanse wetenschapper Benjamin Thompson (1753-1814), die ook wel graaf Rumford werd genoemd, een hele saaie baan aannam. Hij was toen minister voor Oorlogszaken in het Duitse Beieren en hij keek een keer toe toen een kanon werd uitgeboord. Het kanon werd gloeiend heet en als je in 'calor' geloofde, zou je denken dat het kanon zijn hete stof na een tijdje wel kwijt zou raken. Maar nee, hoor!

Toen besefte Rumford dat warmte nooit een stof kan zijn. Het moest een vorm van energie zijn, die ontstond door de wrijving van de boor, net zoals je warme handen krijgt als je erin wrijft. In 1798 presenteerde Rumford zijn ontdekking op een bijeenkomst van de Royal Society in Londen en... niemand luisterde. Zijn theorie werd gewoon de grond in geboord!

Wist je niet, hè?

De Royal Society of London is de Britse academie voor wetenschappen. In 1660 vonden twaalf wetenschappelijke wijsneuzen het een goed plan om voortaan elke week bij elkaar te komen om te praten over hun ideeën en ontdekkingen. Vijf jaar later kwam hun belangrijke tijdschrift voor het eerst uit (en het verschijnt nog steeds). In Nederland heb je de Koninklijke Nederlandse Akademie van Wetenschappen (KNAW) uit 1808. Er kunnen maar tweehonderd mensen lid zijn van de KNAW: een echte Knappe Koppen Club!

Antieke thermometers

Het maatstelsel van warmte-energie heet temperatuur (ik hoop dat je flink onder de indruk bent van dit weetje). Maar wetenschappers hadden het vroeger nogal moeilijk met het meten van warmte, want de thermometer was toen nog niet uitgevonden. We hebben tientallen wetenschappelijke antiquariaten uitgekamd en daar ontdekten we een heel assortiment stokoude thermometers…

d'weetenschappelycke

Open

rommelshop

Laten we hopen dat de spullen die jullie op school gebruiken minder oud zijn – om over je leraar nog maar te zwijgen.

Met lucht gevulde thermoscoop, uitgevonden door het Italiaanse genie Galileo Galilei (1564-1642). Gebruikt lucht en water om de temperatuur te meten.

Albert Einsteins oogballen

Galilei's schedel

Verbeterde versie van de Duitse wetenschapper Otto von Guericke (1602-1686).

Isaac Newtons pruik en tanden

Met water gevulde thermometer, rond 1631 uitgevonden door de Franse arts Jean Rey. Onder het vriespunt werkte hij niet zo best. Weet iemand misschien waarom?

Een paar van de oudste kwikthermometers zijn in 1714 gemaakt door de Duitser Daniël Fahrenheit (1686-1736). Kwik bevriest pas bij heel lage temperaturen en gaat pas koken bij heel hoge temperaturen.

Albert Einsteins hersenen

35

Durf jij te ontdekken... hoe je zelf een thermoscoop moet maken?

Dit heb je nodig:

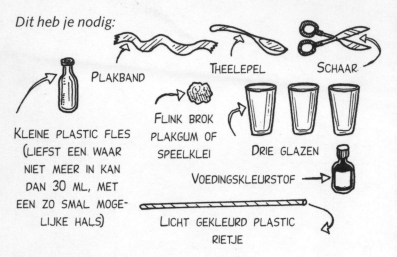

PLAKBAND

THEELEPEL

SCHAAR

FLINK BROK PLAKGUM OF SPEELKLEI

KLEINE PLASTIC FLES (LIEFST EEN WAAR NIET MEER IN KAN DAN 30 ML, MET EEN ZO SMAL MOGE- LIJKE HALS)

DRIE GLAZEN

VOEDINGSKLEURSTOF

LICHT GEKLEURD PLASTIC RIETJE

Dit moet je doen:

1. Vul een glas voor de helft met water en doe er een paar druppels voedingskleurstof bij. Goed roeren.

2. Vul het tweede glas voor de helft met ijsblokjes uit de vriezer. (Raak die niet met je blote handen aan.)

3. Vul het derde glas voor de helft met heet water uit de kraan. (Raak dat ook niet aan, want het kan bloedheet worden!)

4. Doe het rietje in het flesje en sluit de hals af met plakgum. Wikkel daar nog plakband omheen, zodat er geen lucht in de fles kan, behalve door het rietje.

DRUP!

KOUD!

HEET!

LUCHTDICHT

5. Knijp zachtjes in het flesje en zet het ondersteboven met het rietje in het gekleurde water. Er kruipt nu gekleurd water omhoog door het rietje. Hou nu op met knijpen en zet het flesje weer rechtop. Als het goed is, zie je nu een streep gekleurd water in het rietje zitten.

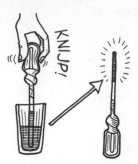

6. Zet het flesje eerst in het glas met ijsblokjes en dan in het warme water.

Je zult merken:

a) dat het water in het rietje omhoog kruipt in het ijs en omlaag in het warme water?

b) dat het water in het rietje omhoog kruipt in het warme water en omlaag in het ijs?

c) dat het water in het rietje in het ijs lichter wordt en in het warme water donkerder?

Antwoord:

b) Kun je je die wiebelende atomen van een paar bladzijden terug nog herinneren? Als je de lucht in het flesje verwarmt, krijgen de atomen energie en proberen ze alle kanten op te vliegen. Vergelijk het met kinderen die in de pauze als gekken naar buiten rennen.

De warme atomen wringen zich omhoog door het rietje en ze duwen het water ook omhoog. Als de lucht koud is, hebben de atomen minder warmte-energie en willen ze dus ook nergens heen. Vergelijk het met kinderen die lekker bij elkaar gaan staan als het erg koud is.

De druk van de lucht die van bovenaf op het rietje drukt, duwt het waterniveau omlaag.

Wist je niet, hè?

Toen Galilei overleed, zaten de plannen voor zijn thermoscoop tussen zijn papieren. Galilei liet die na aan Vincenzo Viviani (1622-1703). Maar toen Viviani overleed, dacht zijn familie dat die papieren waardeloze rommel waren. Ze verkochten ze aan een worstdraaier, om zijn worsten in te verpakken. Toen at een andere wetenschapper een van die worstjes en las hij wat er op het pakpapier stond. En zo werden Galilei's grote ontdekkingen gered – dankzij een worstje.

Weetjes om temperatuureluurs van te worden

1. Wetenschappers hadden nog steeds een probleem. Ze hadden inmiddels wel thermometers, maar ze konden het maar niet eens worden over een schaal om temperatuur mee te meten. Allerlei wetenschappers stelden hun eigen methode op – wat ongetwijfeld leidde tot verhitte discussies.

2. De eerste algemene temperatuurmaat was die van onze vriend Daniël Fahrenheit. Drie keer raden hoe die heette…

3. Fahrenheit besloot de koudste temperatuur die hij kon maken door in zijn lab allerlei chemicaliën te mengen 0° te noemen. In dit systeem bevroor water bij 32° en was de temperatuur van het menselijk lichaam 96° (dat is drie keer 32°). Maar Fahrenheit zat er naast. Het lichaam is ongeveer 98,6° Fahrenheit warm. Zijn schaal klopte dus voor geen meter.

Wetenschappelijk weetje
Waarschijnlijk mat hij de temperatuur onder zijn oksel, waar het minder warm was dan in zijn mond. Een vergissing die hem behoorlijk koud op zijn dak viel en hem niet in de koude kleren ging zitten.

4. De schaal van Fahrenheit wordt in de Verenigde Staten nog gebruikt, maar de rest van de wereld gebruikt een schaal die is uitgevonden door de Zweedse wetenschapper Anders Celsius (1701-1744).
Hoe die schaal heet?
De schaal van Celsius, wat anders!

Anders Celsius was de zoon van een astronomieprofessor en hij was al heel jong geïnteresseerd in wiskunde en natuurkunde. Hij was een enthousiaste ontdekkingsreiziger en maakte twee reizen naar het noorden van Finland. Daar bestudeerde hij het noorderlicht en ontdekte dat de aarde op de Noordpool ietsje platter is.
5. Anders stelde een schaal van 100° voor, waarbij het kookpunt van water 0° was en het smeltpunt van ijs 100°. Ja, je leest het goed!
Anders Celsius zette zijn schaal precies verkeerd om en niemand weet wie hem heeft omgedraaid. Hoe dan ook: de omgedraaide schaal van Celsius is op grote schaal overgenomen.

Zo zie je maar weer, het kan vriezen en het kan dooien. En over vriezen gesproken, in het volgende hoofdstuk vriest het dat het kraakt. Het volgende hoofdstuk is zelfs koud genoeg om een kopje thee in één milliseconde keihard te bevriezen! Ik hoop dat je je een beetje warm hebt ingepakt…

Dodelijke diepvriestemperaturen

Dit hoofdstuk en het volgende gaan over het verliezen van warmte-energie en over de wetenschap van lage temperaturen.

Herinner je je de derde wet van de thermodynamica nog? Die wet die zegt dat je niet kouder kunt worden dan het absolute nulpunt? Wedden dat je nog niet wist dat een wetenschapper die aan deze wet heeft gewerkt, al naar de universiteit ging toen hij nog maar tien was? Hij is allang dood, maar we hebben hem nog even een stoot energie gegeven voor een laatste interview…

Dood meesterbrein: William Thomson, alias lord Kelvin (1824-1907)

UW EERSTE ONTDEKKING WERD DOOR EEN ANDER GEPRESENTEERD. WAAROM DEED U DAT ZELF NIET?

IK WAS NOG MAAR TIEN. HET WAS ZEKER AL BEDTIJD.

UITEINDELIJK WERD U HOOGLERAAR OP DE UNIVERSITEIT VAN GLASGOW.

IK EN EEN STUDENT

JA, MAAR TOEN WAS IK AL EEN STUK OUDER: 22 ALWEER.

EN HOE LANG HEBT U DAT GEDAAN?

1842   1899

53 JAAR. TOEN HAD IK ER DE ENERGIE NIET MEER VOOR.

U BESTUDEERDE ELEKTRICITEIT EN WARMTE EN U WERKTE AAN DE TWEEDE EN DE DERDE WET VAN DE THERMODYNAMICA.

JA, DAAROVER WERD TOEN VERHIT GEDISCUSSIEERD.

U HEBT BEWEZEN DAT IETS NIET KOUDER KAN WORDEN DAN HET ABSOLUTE NULPUNT.

JA, EN DAT HEET $0°$ KELVIN. GOEIE NAAM, HÈ?

43

U BENT RIJK GEWORDEN MET ADVIEZEN OVER HET LEGGEN VAN DE EERSTE TELEGRAAFKABEL DOOR DE ATLANTISCHE OCEAAN.

JA, DIEPGRAVENDE ADVIEZEN WAREN DAT.

NATUURLIJK HEBT U OOK WETENSCHAPPELIJKE VERGISSINGEN GEMAAKT...

WAT?

U ZEI DAT DE ZONNEWARMTE AFKOMSTIG IS VAN BRANDENDE STEENKOOL.

ZOU HET AL BIJNA OP ZIJN?

Wist je niet, hè?

1. *Eén graad op de schaal van Kelvin is hetzelfde als één graad Celsius, alleen begint de schaal van Kelvin bij het absolute nulpunt. De schaal wordt gebruikt voor wetenschappelijke metingen van de warmte-energie van atomen en hij is genoemd naar de grote geleerde Kelvin, omdat hij hem voorstelde.*

2. *Thomson werd in de adelstand verheven als beloning voor zijn wetenschappelijke inspanningen. Hij ontleende zijn titel – 'lord Kelvin' oftewel baron van Kelvin – aan een riviertje in Glasgow.*

ZOEK DE VERSCHILLEN

BRON VAN DE KELVIN

WARMTEBRON VAN LORD KELVIN

BRON VAN ERGERNIS VOOR LORD KELVIN

44

Even chillen

Als jij zo iemand bent die geen probleem heeft met kou, krijg je misschien wel zin om met je thermo-ondergoed en een extra paar wollen sokken te gaan skiën op een plek waar het bijna (maar niet helemaal) nul graden Kelvin is. Maar daarvoor moet je dan wel de ruimte in!

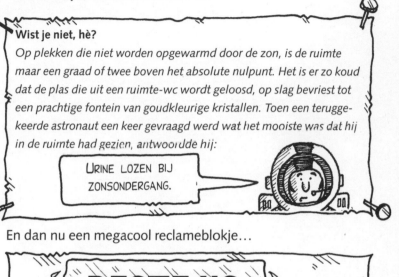

Wist je niet, hè?

Op plekken die niet worden opgewarmd door de zon, is de ruimte maar een graad of twee boven het absolute nulpunt. Het is er zo koud dat de plas die uit een ruimte-wc wordt geloosd, op slag bevriest tot een prachtige fontein van goudkleurige kristallen. Toen een teruggekeerde astronaut een keer gevraagd werd wat het mooiste was dat hij in de ruimte had gezien, antwoordde hij:

URINE LOZEN BIJ ZONSONDERGANG.

En dan nu een megacool reclameblokje...

Het BESTE IJS Paleis

Koude rillingen

Koop dit supergekoelde helium (hetzelfde gas dat ze in luchtballonnen stoppen, maar dan afgekoeld tot -272°C). Verbijster je vrienden en jaag de kat de gordijnen in op het moment dat het vloeibaar wordt en tegen de randen van het potje op begint te klimmen.

ECHT COOL!

Trek in een ijsje?

Geen zin om uren te wachten tot het bevriest? Probeer dan deze vloeibare stikstof van -196°C! In 1997 gebruikte een Engelse wetenschapper dit stofje om binnen tien seconden ijsjes te maken! De kinderen die het uitprobeerden, zeiden dat het erg lekker was en een echte kok meldde:

HET IS NIET BIJZONDER LUCHTIG OF ROMIG, MAAR HET SMAAKT ABSOLUUT NAAR IJS.

Tussen twee haakjes: als je op deze manier ijs wilt maken, moet je wel zorgen dat je je vinger niet in de vloeibare stikstof steekt, anders is hij meteen keihard bevroren en breekt hij af als een ijspegel.

Nu we het toch hebben over mensen in vloeibaar stikstof, wist je dat sommige mensen van plan zijn zichzelf na hun dood zo te laten bewaren? (Dat noemen ze cryogeen invriezen.) Onze onverschrokken verslaggever Harvey Tucker gaat op onderzoek uit…

Harvey Tuckers grote avontuur

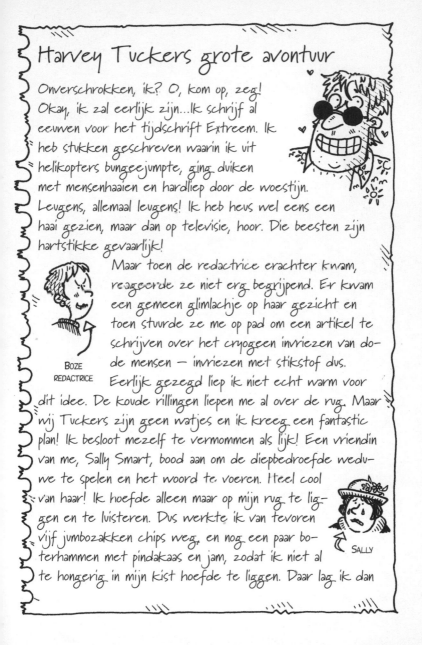

Onverschrokken, ik? O, kom op, zeg!
Okay, ik zal eerlijk zijn...Ik schrijf al
eeuwen voor het tijdschrift Extreem. Ik
heb stukken geschreven waarin ik uit
helikopters bungeejumpte, ging duiken
met mensenhaaien en hardliep door de woestijn.
Leugens, allemaal leugens! Ik heb heus wel eens een
haai gezien, maar dan op televisie, hoor. Die beesten zijn
hartstikke gevaarlijk!

Maar toen de redactrice erachter kwam,
reageerde ze niet erg begrijpend. Er kwam
een gemeen glimlachje op haar gezicht en
toen stuurde ze me op pad om een artikel te
schrijven over het cryogeen invriezen van dode mensen — invriezen met stikstof dus.

BOZE
REDACTRICE

Eerlijk gezegd liep ik niet echt warm voor
dit idee. De koude rillingen liepen me al over de rug. Maar
wij Tuckers zijn geen watjes en ik kreeg een fantastic
plan! Ik besloot mezelf te vermommen als lijk! Een vriendin
van me, Sally Smart, bood aan om de diepbedroefde wedu-
we te spelen en het woord te voeren. Heel cool
van haar! Ik hoefde alleen maar op mijn rug te liggen en te luisteren. Dus werkte ik van tevoren
vijf jumbozakken chips weg, en nog een paar bo-
terhammen met pindakaas en jam, zodat ik niet al
te hongerig in mijn kist hoefde te liggen. Daar lag ik dan

SALLY

47

uit alle macht dood te wezen in het mortuarium van
Bevroren Begrafenissen B.V.

"Wat wij doen," vertelde de dokter, "is het
volgende: we laten het bloed uit het lichaam
lopen en vervangen het door antivries en andere chemicaliën..."

Ik voelde me niet erg op mijn gemak. Punt één klonk
dat allemaal nogal eng, punt twee kreeg ik af-
grijselijke honger van dat dood zijn. Intussen
praatte de dokter gewoon verder:

"Dan bewaren we de lichamen in
vloeibare stikstof. Door de warmte-energie
weg te nemen, doden we alle bacteriën voor
ze het lichaam kunnen laten ontbinden. En als de
wetenschap eenmaal een remedie heeft gevonden voor de doodsoorzaak van uw arme overleden Harvey, ontdooien we hem en
kunnen we hem weer tot leven
brengen..."

Arme overleden Harvey? Ho eens even, ik
was toch echt niet van plan om een arme
overleden Harvey te worden. En Sally klonk ook al niet
erg overtuigd.

"Maar beschadigen die chemicaliën het lichaam
dan niet? En ontstaan er geen ijskristallen die
het lichaam onherstelbaar kapot maken?"
Ik was even vergeten dat Sally de we-
tenschapsdeskundige van het tijdschrift
was. De arts klonk ineens een beetje geïrriteerd. "Eh...
ja, dat is wel een probleem, maar daar zal de

48

wetenschap in de toekomst toch wel iets op vinden, eh... hopen we."

Terwijl ze zo zaten te kletsen, deed ik voorzichtig een oog open om eens een kijkje te nemen in dat mortuarium. Ik zag allemaal dode mensen in glazen containers en het werd me koud om het hart. Net zo koud als die dooie mensen.

"Hoeveel kost het?" vroeg Sally.

"Dat hangt ervan af," antwoordde de dokter. "Voor het hele lichaam is het 100.000 euro, maar voor alleen het hoofd rekenen we maar 50.000. Een fikse korting dus."

Korting?! Ik had helemaal geen zin om te worden ingekort!

Cryogeen invriezen is populair in de VS en er zijn al heel wat lijken en hoofden ingevroren. Sommige mensen hebben zelfs hun huisdier laten invriezen! Maar sommige cryogene diepvriesbedrijven zijn failliet gegaan, waarna de lichamen ontdooiden en de hele onderneming behoorlijk begon te stinken. Natuurlijk heb je niet per se een ton vol vloeibaar stikstof nodig voor een bevroren lijk; er liggen meer dan genoeg goed geconserveerde lichamen aan beide ijzige uiteinden van de aarde. We gaan dus ijskoud verder met het volgende hoofdstuk om erachter te komen hoe ze daar gekomen zijn en wat er met je lichaam gebeurt als het die o zo belangrijke warmteenergie kwijtraakt. Lees verder en doe een paar ijzingwekkende ontdekkingen…

⋅°☽⋅°☽ STERVEN VAN DE KOU ☽°⋅☽°⋅

In dit hoofdstuk gaat het er iets warmer aan toe dan in het vorige, maar het blijft een behoorlijk kille bedoening. Je ontdekt dodelijk coole weetjes over hoe een gebrek aan warmte-energie zorgt dat water bevriest… en mensen!

Chirurg worden… iets voor jou?

Stel, je bent chirurg. Je patiënt heeft een bloedvat in zijn hersens dat op knappen staat. Wat doe je?

a) Je snijdt de schedel van de patiënt open en giet vloeibaar stikstof over zijn hersenen om alles te bevriezen, zodat het bloed ophoudt met stromen.

b) Je snijdt de schedel open en legt ijsblokjes om de hersens heen om de zwelling te laten afnemen.

c) Je legt het lichaam van de patiënt in ijs tot de lichaamstemperatuur lager is geworden, laat de helft van zijn bloed weglopen en doet dan een operatie.

Antwoord:

c) Als je het lichaam koelt, gaat alles langzamer, zodat er minder zuurstof uit het bloed nodig is. (Afkoelen kan zo wieso helpen bij het behandelen van ernstig gewonden, omdat je hun lichaam zo de kans geeft om vanzelf te genezen.) Als je bloed aftapt, vermindert de zwelling en krijg je meer tijd om het bloedvat te opereren. In de jaren zestig van de vorige eeuw ging een Japanse hersenchirurg zo te werk. Natuurlijk moest hij zelf ook het hoofd koel houden.

Zin om daar een keer vakantie te gaan vieren? Dan lijkt het je vast ook wel cool om een weekendje te gaan chillen in een hotel dat van massief ijs gemaakt is! Er bestaat echt zo'n hotel. Zo zouden ze reclame kunnen maken:

FRIS EENS LEKKER OP IN HET

IJSHOTEL

IN NOORD-ZWEDEN

- Volop frisse lucht!

- Lekker koele ontvangst!

GEEN WARME CHOCOMEL, SORRY!

- Breek het ijs aan de ijsbar (ja, ook de bar is van ijs!) waar de drankjes altijd ijskoud worden geserveerd (in glazen van ijs namelijk).

- Lekker relaxen op luxe kamers!

✳ ✳ ✳ ✳ **De kleine lettertjes** ✳ ✳ ✳ ✳

1. Je kamer en je bed zijn compleet van ijs gemaakt! Centrale verwarming zou het hele hotel laten smelten, dus je slaapkamer moet ijskoud blijven. Je krijgt wel een comfortabele matras plus slaapzak en we lachen je heus niet uit als je tijdens het slapen je ijsmuts op houdt!

BIBBER! RILL!

IJSHOTEL

2. Kom in de zomer vooral niet terug. In de lente smelt het hotel, maar de volgende winter bouwen we weer een nieuw hotel!

Maar wat heeft dit allemaal met energie te maken?

Dossier extreme energie

NAAM: *IJs*

WARMTE!

DE SIMPELE FEITEN: 1. *Als water af-koelt, verliest het warmte-energie aan de lucht.*

PLAK!

2. *Bij 0°C gaan de klontjes atomen (moleculen, zoals wetenschappers die noemen) waaruit water bestaat, aan elkaar plakken.*

WIEBEL!

3. *IJs heeft nog steeds warmte-energie en de bevroren watermoleculen wiebelen nog steeds zachtjes heen en weer.*

EXTREME DETAILS: 1. *Als je alle warmte-energie in een ijsblokje optelt, is er nog genoeg voor een vlam-metje dat heter is dan een brandende lucifer.*

2. *Als je een sneeuwbal maakt, pers je de ijskristallen op elkaar. Deze bewegingsenergie verandert in warmte-energie, waardoor een deel van het ijs smelt. Door het smeltwater wordt de sneeuwbal lekker kneedbaar.*

GRRR!

PAS OP: *Als de sneeuwbal je leraar raakt, kan dat dode-lijke gevolgen hebben. (Voor jou dan.)*

WAARSCHUWING VOOR DE VOLKSGEZONDHEID!

En over gevaar gesproken: ijs bevriest vanaf de randen van een vijver, maar op het ijs lopen is afgrijselijk gevaarlijk! Ook als je voor geen gat te vangen bent, kun je makkelijk door het ijs zakken.

WAAH!

JE BENT GE- ZAKT!

Pauzetoets voor leraren

Het is pauze. Met een beetje mazzel haalt je lerares net wat melk uit de koelkast om in haar thee te doen. Dan klop jij op de deur van de lerarenkamer…

VOLGENS DE TWEEDE WET VAN DE THERMODYNAMICA GAAT WARMTE ALTIJD VAN IETS WARMS NAAR IETS KOUDS. HOE KUNNEN KOELKASTEN DAN WARMTE UITSTRALEN NAAR EEN WARME KAMER?

WATTE?

Antwoord:
Als je lerares je vraag al kan volgen, heeft ze de hele pauze nodig om hem te beantwoorden. En tegen die tijd heeft de tweede wet er al voor gezorgd dat haar thee harder is afgekoeld dan een snipverkouden Siberische sneeuwpop. Dus die komt van een koude kermis thuis!

Hoe werkt een koelkast?

In koelkastbuizen zit een chemische stof die verdampt tot een gas in het deel van de buis dat binnen in de koelkast zit. Daar heeft deze chemische stof veel warmte-energie voor nodig, die hij uit de binnenkant van de koelkast zuigt.

DE LERARENKOELKAST

GAS IN BUIS

RÖNTGENOPNAME VAN BUIS ACHTER IN DE KOELKAST

WARMTE WORDT IN BUIS GEZOGEN

BAH!

ROT FRUIT

HALF OPGEGETEN BROOD

PREHISTORISCHE YOGHURT

MUFFE MELK

Eigenlijk verwarmen koelkasten meer dan dat ze koelen! Het gas wordt aan de achterkant van de koelkast via een pomp in de buis geperst. Hierdoor wordt het vloeibaar. Om weer te kunnen verdampen, ontrekt de vloeistof warmte-energie uit het binnenste van de koelkast. En als je kijkt naar de warmte die deze elektrische pomp afgeeft, produceren koelkasten uiteindelijk meer warmte dan ze ooit uit je ijsje kunnen zuigen.

Wist je niet, hè?

IJs is lawaaiig spul, en niet alleen als het tussen je kiezen kraakt. Waterstromen onder het ijs in de Noordelijke en Zuidelijke IJszee kunnen het ijs onder druk zetten. Dit zorgt voor energieverlies in de vorm van geluid (en een heel klein beetje warmte). Ontdekkingsreizigers vertelden dat ze geluiden hoorden die klonken als gegrom, gepiep, gekreun, zingende vogels en fluitende fluitketels. Een oorgetuige meldde dat de geluiden hem deden denken aan een banjo…

JENGEL! JENGEL! JENGEL!

BRAVO! BIS, BIS!

Natuurlijk valt er nog veel meer te ontdekken over het leven in de kou, en wie is daar beter geschikt voor dan onze verknipte verslaggever Harvey Tucker? Na zijn beschamende vertoning bij het invriesbedrijf is Harvey voor straf naar de Noordpool gestuurd om verslag te doen van de cursus poolsurvival van de beroemde poolreiziger IJsbrand IJzinga…

Harvey Tuckers grote avontuur

Ik kon niet echt warmlopen voor mijn nieuwe opdracht. Avontuur, yeah, right! Ik zat honderden kilometers van de dichtstbijzijnde bar. Ik had het koud, ik had honger…

BIBBER!

Kou en honger, ja, en verder kon ik nergens aan denken. Waarom had ik me hier nou weer naartoe laten sturen? Zelfs mijn snot was bevroren! Er hingen twee lange ijspegels uit mijn neusgaten! Ik besloot een blik toffees open te maken, want voor warmte-energie heb je wat te bikken nodig. Maar ze waren zo koud en hard geworden dat ik mijn tanden er zowat op brak! Ik probeerde het bevroren spul van mijn tanden te poetsen, maar mijn tandpasta was bevroren! Die Noordpool was een totale horror!

Dus ik besloot die survivalcursus maar mooi te laten zitten. Wie heeft er nou zin om bevroren vis te vreten en iglo's te bouwen? Ik ging lekker een boek lezen. Het is geschreven door een of andere muffe ouwe Brit en ik vermoedde dat er wel wat waanzinnige weetjes over kou in zouden staan voor mijn artikel.

ZINLOZE ZIEKTES

door dokter H. Graftak

Hoofdstuk 14

Gevolgen van kou

Alleen idioten denken dat je kou kunt vatten als je het koud krijgt. Terwijl kou de bacteriën die verkoudheid veroorzaken juist doodt. Maar elk jaar weer word ik ondergesneeuwd

VERVOLG

door zielige zeurpieten die roepen dat ze verkouden zijn geworden van de sneeuw. Ik ben ook maar een dokter, maar ze verwachten wel dat ik ze beter maak!

Bevriezingsverschijnselen zijn een stuk waarschijnlijker als je onder de sneeuw komt te liggen. De bloedvaten in de huid gaan dicht om de warmte-energie in het lichaam te houden. De zenuwuiteinden die dingen voelen, werken dan niet meer. Dat is ook de reden dat extreme kou je gevoelloos maakt. Er komt geen zuurstof bij die delen van het lichaam, waardoor ze langzaam afsterven. In ernstige gevallen komen er blaren en wordt de huid zwart.

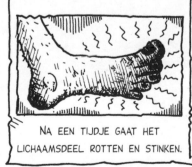

NA EEN TIJDJE GAAT HET LICHAAMSDEEL ROTTEN EN STINKEN.

Laatst ging mijn collega, dokter Glibber, op skivakantie. Die stomme idioot vergat zijn skisokken en zijn grote teen bevroor. Moet-ie maar niet van die lange tenen hebben, dacht ik nog.

Ik vertelde hem aan de telefoon dat hij niet over zijn

DOKTER
GLIBBER

teen moest wrijven, want dat kan schade veroorzaken. „Wat u moet doen," zei ik, „is de teen in warm water doen en naar de dokter gaan."

„Maar ik ben zelf dokter!" riep hij.

Dus zei ik dat hij naar een goede dokter moest gaan. Bij ernstige bevriezing vallen de bevroren ledematen er zelfs af of moeten de bevroren stukken worden geamputeerd (of 'afgehakt', zoals botteriken zouden zeggen).

VERVOLG ➤

57

Lezers die vingers en tenen kwijt zijn, mogen die doneren aan mijn medische privécollectie. Ik heb er zelfs wel een kleine vergoeding voor over – zolang het me geen rib uit mijn lijf kost, natuurlijk.

 Maar onderkoeling ('hypothermie', zoals wij artsen het noemen) is veel dodelijker dan bevriezingsverschijnselen. Ik krijg elke winter een lawine van aanstellers over de vloer die denken dat ze doodgaan, omdat ze het een beetje koud hebben. Maar helaas, zo werkt het niet! Ik ontvang ze altijd heel koeltjes. Iets warms drinken en je warm inpakken, dat is mijn advies. Lichaamsbeweging helpt ook. Ik laat kinderen die over de kou zeuren altijd vijf kilometer hardlopen. Na de eerste vier houden ze meestal wel op met snotteren!

Echte onderkoeling treft voornamelijk idioten die de kou ingaan zonder warme kleren... en die verdienen ook niet beter. Als ze afkoelen, beginnen ze afgrijselijk te bibberen. Ze denken dat ze het warm hebben en willen hun kleren uittrekken. Als de hersenen afkoelen, begint de patiënt dingen te zien. Ik ben zelfs wel eens opgebeld door een of andere idioot die dacht dat hij een pak kaarten was! Ik zei dat ik hem later wel eens goed door elkaar zou schudden, eh... zou behandelen.

TYPISCHE IDIOOT

Onderkoelde mensen moeten langzaam worden opgewarmd om verdere schade aan het lichaam te voorkomen. Maar eigenlijk verdienen ze natuurlijk een koude douche!

Well, heftig hoor! Al dat gedoe over hypodinges bezorg-
de me de koude rillingen. O nee! Koude rillingen zijn een
teken van hypohuppelepup! Ik kroop in mijn slaapzak en
kreeg het behoorlijk warm — dat is toch ook hypo? Ik
besloot om weer op krachten te komen met een megaluxe
gezinspizza, maar die was keihard bevroren! De kou
kroop gewoon in mijn botten. Ik schreef een paar af-
scheidsbrieven. Vaarwel, wrede wereld! Maar toen...
Wacht eens even! dacht ik. Misschien heeft
IJsbrand IJzinga wel een website
waarop staat hoe ik de kou kan
overleven. Even een stukje ijs-
surfen!

IJSBRAND IJZINGA
HOE OVERLEEF IK DE POOL

PAS OP VOOR BEVRIEZING! Als je je duim niet meer tegen je wijsvinger kunt krijgen, heb je een probleem. Daarom
betekent dit gebaar van oudsher ook dat alles in or-
de is. Leg je handen onder je oksels om ze warm
te krijgen. Stamp met je voeten en leg ze op de
buik of in de oksels van een begripvolle vriend.

DE WC. Als er geen sneeuwstorm woedt, kun
je veilig naar buiten om te plassen, want je edele delen krijgen
meer dan genoeg warmte-energie in de vorm van warm
bloed, dus raken ze niet zo snel bevroren als vingers en tenen.

WAARSCHUWING!
Hongerige poolhonden of ijsberen
vallen soms plassende poolonder-
zoekers aan.

H-E-L-P! Toen ik dit las, moest ik meteen naar de plee. Maar o no, dat was veel te gevaarlijk! Ik begon de zenuwen te krijgen van die pool! Dus ik seinde meteen om hulp. En terwijl ik wachtte tot ik gered zou worden, werkte ik de rest van mijn bevroren toffees toch maar naar binnen. Zonde om ze weg te gooien!

Wist je niet, hè?

1. *Bevriezing was vroeger een dodelijke aandoening voor ontdekkingsreizigers op de Noordpool en de Zuidpool. Toen de Amerikaan Robert Peary (1856-1920) op een dag zijn laarzen uittrok, vielen acht van zijn tenen af. Later zei hij:*

> DIE TENEN WEGEN NIET OP TEGEN HET BEREIKEN VAN DE POOL.

Wat vind jij? Ben je het met Peary eens?

2. *In 2000 ontving een museum een nogal vreemde donatie. Majoor Michael Lane stuurde vijf vingers en acht tenen – van hemzelf! Ze waren afgevroren toen hij de Mount Everest, de hoogste berg van de wereld, beklom in 1976. „Ik denk niet dat ze zoiets verwachtten," merkte de dappere bergbeklimmer op.*

3. *In 1991 raakte de heldhaftige Koreaanse klimmer Kim Hong Bin allebei zijn handen kwijt op Mount McKinley (de hoogste berg van Noord-Amerika) maar hij bereikte toch de top, met tanden en voeten.*

Oké, nu je dit hoofdstuk gelezen hebt, weet je dus alles over een dodelijk gebrek aan warmte-energie (oftewel 'kou', zoals niet-wetenschappers zeggen)? Dan kun je voor je het volgende hoofdstuk binnenschaatst nog wel even een gokje wagen bij deze ijskoude quiz. Overleef jij de ultieme uitdaging en haal jij de Noord- of de Zuidpool?

Op ontdekking naar de pool… iets voor jou?
1. Het is zo koud dat je adem bevriest en een laag ijs vormt aan de binnenkant van je hut. Wat doe je?
a) Je laat het lekker zitten.
b) Je smelt het ijs met een brander.
c) Je zet een raampje open.

2. Welk voedsel levert de meeste energie?
a) Chocolade.
b) Spinazie.
c) Glibberige hompen dierenvet, vermengd met toffees en bananencornflakes.

3. Je sterft van de honger, maar er is geen eten meer. Je moet eten om warm te blijven. Wat eet je het eerste op?
a) Je traditionele Eskimosokken.
b) Je honden.
c) Je kleine broertje of zusje.

4. Als je naar de Zuidpool gaat, wat is dan de beste opslagplek voor brandstof om vuur mee te maken en op te koken?
a) In blokken ijs.
b) In stopflessen met kurken erop.
c) In stopflessen met leren stoppen.

Antwoorden:
1. a) Meer kun je niet doen. **b)** zou veel te veel kostbare brandstof kosten en je hut kan in brand vliegen, en **c)** zou het nog kouder maken.
2. c) Toen de ontdekkingsreizigers Dave Mitchell en Stephen Martin in 1994 naar de Noordpool liepen, aten ze dit. Het vet – het was niervet, om precies te zijn – levert per gram meer energie dan de meeste andere voedingsstoffen. Ook een hapje?

KOM OP, HET GAAT LUKKEN! WE ZIJN ER BIJNA! NOG EVEN DOORZETTEN!

MAG IK DIE BANAAN BEWAREN VOOR LATER?

3. b) Neem een hond die er zwakker uitziet dan de andere. Als je al je honden op hebt, kun je **a)** eten, want die zijn van dierenhaar gemaakt. WAARSCHUWING: Broertjes en zusjes opeten is wreed en kan lange gevangenisstraffen opleveren.
4. b) Brandstof in ijs opslaan is oliedom, want dan heb je brandstof nodig om een vuur te maken om het ijs te smelten om bij je brandstof te komen. In 1911 gebruikte een Engelse expeditie onder leiding van Robert Falcon Scott

(1868-1912) **c)** en de rivaliserende ploeg van de Noor Roald Amundsen (1872-1928) gebruikte **b)**. Amundsen was het eerst bij de Zuidpool. Scotts leren stoppen bevroren en vielen eraf en de Engelsen stierven van de kou door gebrek aan brandstof. Hun bevroren lichamen liggen nog altijd op Antarctica, waar ze stierven.*

Deze ongelukkige ontdekkingsreizigers werden de weerloze slachtoffers van de gewetenloze wetenschap van brandstof en gebrek aan warmte-energie. Zoals iedere wetenschapper je kan vertellen, is brandstof een vorm van opgeslagen energie. En in het volgende hoofdstuk gaan we er met verdubbelde energie verder op in. Volle kracht vooruit!

* Wil je meer ijskoude ijsverhalen lezen over coole poolverkenners? Zorg dan dat je een ander Waanzinnig om te Weten-boek te pakken krijgt: IJzingwekkend veel ijs.

BIZARRE BRANDSTOF

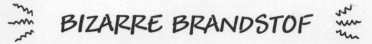

Zonder brandstof – of eigenlijk de energie die in brandstof is opgeslagen – zou de hele wereld in de ijskast komen te staan. Brandstoffen zoals gas, olie, kolen en benzine bevatten energie die je warm houdt en waarmee je eten wordt gekookt…

…en dankzij brandstof kom je op tijd op school…

Enerverende energie

Maar brandstoffen zijn niet de enige energiebronnen. Hier zie je een paar andere manieren om energie op te slaan, die trouwens rampzalig kunnen uitpakken voor de onhandigste leraar ter wereld.

De avonturen van Steven Stuntelaar

65

Eeuwenoude energie

Duizenden jaren lang was de enige energie die de meeste mensen gebruikten, hout om vuren te stoken. Open vuur leverde licht en warmte om sappige brokken dooie mammoet te roosteren. Maar rond 3000 v.Chr. vond een Egyptenaar de kaars uit. Niemand weet hoe hij heette, maar het werd een 'vlammend' succes. Zo werkte het:

5. Het gas brandt.

6. Vlam geeft licht en warmte-energie.

4. Nog meer warmte-energie zet de was om in gas.

7. Brandende mot levert extra warmte-energie.

3. Gesmolten was trekt in de pit.

2. Warmte-energie uit de vlam smelt de was.

1. De was (de eerste kaarsen waren van dierlijk vet) bevat energie.

HELP!

Het geweldige aan kaarsen is dat je ze kunt verplaatsen. Ze waren dus ontzettend handig als je naar bed ging en als je bang was in het donker, in de tijd dat er nog geen elektriciteit was. Maar je had nog steeds een vlammetje nodig om de kaars aan te steken. Vroeger sloegen mensen stukjes metaal en vuursteen tegen elkaar om vonken te krijgen, maar in de jaren veertig van de negentiende eeuw kreeg iemand een aanstekelijk idee...

Toen vond de Zweedse uitvinder Johan Lundstrom namelijk de lucifer uit. De energie zit in de kop van de lucifer, in de vorm van fosfor. Dit spulletje vliegt in brand als het verwarmd wordt door de energie die vrijkomt als de lucifer wordt afgestreken.

KIJK, DEZE DOET HET NÓG BETER!

STRIJKER

STRIJK-STOKJE

Later kwam de veiligheidslucifer, bedacht door een andere Zweed: Gustaf Erik Pasch. Hij gebruikte zwavel. Maar het begon dus met fosfor. Wist je dat deze stof overigens in 1669 werd ontdekt, en wel op een weerzinwekkende manier? Het volgende verhaal werpt misschien wat licht op de zaak.

Licht in het donker
Hamburg, Duitsland, 1675

„Ja, Herr Obermeyer, ik zal u alles vertellen. U bent de burgemeester, dus misschien kunt u dit onrecht rechtzetten."

Met deze woorden ging de oude vrouw op een krukje bij de open haard zitten en begon met haar verhaal.

„Meneer, ik zal eerlijk zijn. Mijn meester, Hennig Brand, is geen goed mens. Hij blaft mij en zijn andere dienaren af, maar voor rijkere mensen kruipt hij. Hij trouwde zijn eerste vrouw vanwege haar geld en toen zij overleed, had hij alles uitgegeven aan wetenschappelijke experimenten. Ik hou niet van roddelen, maar ze zeggen dat hij de huidige Frau Brand ook om haar geld heeft getrouwd. Hij probeert steeds weer om goud te maken van goedkope metalen. Wat zegt u? Hij is een alchemist? Ja, inderdaad ja, zo noemt hij zichzelf.

Op een donkere avond kwam ik langs mijn meesters laboratorium. Ik bracht een schoon pak naar zijn kamer. Och och, mijn meester maakt zijn kleren zo vies met al die chemische goedjes! En de lucht die in die kamer hing, was onbeschrijflijk! Hij had emmers vol… ja, hoe zeg ik dat nou netjes? Het was pies, dat hij liet rotten voor een of ander experiment."

De oude vrouw trok haar neus op.

„Natuurlijk mocht het personeel daar niet schoonmaken, maar de stank was afgrijselijk!

Toen hoorde ik zijn stem. Ik dacht dat hij me riep, dus ik ging naar de deur. Maar mijn meester stond in zichzelf te praten…

'Het gloeit!' hoorde ik hem zeggen. 'Dit is het geheim om goud te maken, en ik heb het gevonden in pies!'
Ik tuurde de kamer in.
Het was donker, maar ik zag zijn vette, opgewonden gezicht in een vreemde gloed, die uit een lichtgevende fles kwam. Toen zag hij me. Binnen twee tellen greep hij me bij de keel en hij sloeg me in het gezicht, twee keer. Zo dik als hij is, is hij nog altijd een grote, sterke vent. Hij zei dat hij de vreselijkste dingen zou doen als ik iemand durfde te vertellen wat ik had gezien. Dus ik beloofde mijn mond te houden. Ik kon niet anders, nietwaar?"

„Ik heb zijn geheim zes jaar bewaard. Een goede dienaar ziet alles en zegt niks, zo denk ik erover. Al die tijd probeerde mijn meester goud van dat gloeiende spul te maken. Hij bleef het proberen, tot hij al het geld van zijn vrouw had opgemaakt.
We begonnen steeds meer last te krijgen van alchemisten die het geheim van dat gloeiende goedje wilden weten. Hoe ze er lucht van hadden gekregen, zou ik niet weten, maar mijn meester was wel zelf over zijn ontdekking gaan opscheppen in de kroeg. En dan te bedenken dat hij mij tot geheimhouding had gedwongen!"

Er klonk een knal en er spatte een fontein van vonken uit een brandend houtblok de schoorsteen in.

De vrouw hapte naar adem en keek geschrokken om zich heen. Toen ze zag dat er geen verschrikkelijke explosie was geweest, vervolgde ze haar verhaal.

„Op een avond kreeg mijn meester bezoek van een zekere Herr Kraft. Hij wilde mijn meester geld geven voor het geheim. Maar mijn meester was niet alleen hebzuchtig, hij was ook sluw. Hij wilde Herr Kraft niet vertellen hoe hij het lichtgevende spul maakte, maar hij wilde wel verkopen wat hij had. Hij zei met een lachje dat hij er nog veel meer van kon maken.

Ik wilde Herr Kraft vertellen dat het spul gemaakt was van pies. Maar ik was bang voor mijn meester, dus bleef ik stilletjes zitten naaien. Plotseling werd er op de deur gebonkt."

„Het was Herr Kunckel, een alchemist die een paar dagen eerder al langs was gekomen om het vreemde spul te zien. Herr Kunckel wilde er ook wat van kopen, maar mijn meester zei botweg dat hij nog geen nieuw spul gemaakt had. Ik hoorde mijn meester fluisteren: 'Ja, het wordt van pies gemaakt, en nu wegwezen!'

Toen kwam hij helemaal opgewonden terug en sloot hij de koop met Herr Kraft. Toen die weer weg was, danste mijn meester de hele kamer door. Hij sloeg op zijn knieën en lachte zich zowat dood."

„Zijn vriend de herbergier kwam langs en ik moest wijn brengen. Na een fles of twee was mijn meester dronken. Zijn dikke, rode gezicht glom in het licht van het haardvuur en hij lalde uit volle borst over hoe hij Herr Kraft en Herr Kunckel te pakken had gehad.

De herbergier leunde voorover en prikte mijn meester in zijn buik. 'Maar waar is dat spulletje dan van gemaakt, ouwe bandiet?'

Mijn meester barstte in lachen uit, zijn onderkinnen trilden ervan. 'Pies,' snoof hij. 'Je laat het rotten en je verwarmt het tot er alleen nog een wit poeder onder in de fles ligt. Dan verwarm je het nog eens. Tweehonderd taler, moet je nagaan, tweehonderd zilveren taler voor een volle pispot!'"

„Mijn meester lachte zo hard dat hij zowat dubbelsloeg. Toen veegde hij zijn natte lippen af en tikte hij onhandig tegen zijn neus. 'Denk erom, ouwe reus, vertel het niet verder,' siste hij. Nou meneer, u hebt vast allang gehoord wat er toen gebeurde. Heel Hamburg had het erover. Herr Kunckel maakte zijn eigen lichtgevende spulletje. En ze zeggen dat Herr Kraft een fortuin heeft verdiend door het in heel Europa aan koningen en koninginnen te laten zien. En nu zeggen Kunckel en Kraft tegen iedereen dat zíj het stofje hebben ontdekt! Mijn meester is dagenlang niet te genieten geweest! En daarom ben ik hier, om te getuigen dat mijn meester, Hennig Brand*, deze ontdekking het eerst heeft gedaan. Een goede dienaar geeft nooit zijn eigen mening, maar ik moet nu toch iets zeggen. Meneer, ik wou dat dit spul nooit was uitgevonden! Het brengt niks dan ellende en de mensen worden er zo wreed en inhalig en hebberig van dat ze elkaar beliegen en bedriegen. Wat zegt u? Hoe kan ik bewijzen dat ik de waarheid vertel?"
De oude vrouw keek bedrukt.
„Ik ben maar een oude dienster. Ik kan u alleen mijn woord geven, en dit…"
Ze deed haar tas open en haalde langzaam een klein flesje tevoorschijn. In het flesje zat een beetje poeder dat een spookachtig licht verspreidde, als groen vuur.

* Hennig Brand, Johann Kraft en Johann Kunckel waren Duitse wetenschappers in de zeventiende eeuw.

Wist je niet, hè?

1. *Als fosforatomen in aanraking komen met zuurstof uit de lucht, geven de atomen hun energie af in de vorm van licht. Hoewel fosfor giftig is, werden er pillen van gedraaid tegen maag- en longziekten. Ze waren waardeloos en wie ze innam werd misselijk en begon licht te geven in het donker.*

> HOE VOELT U ZICH NA DIE FOSFORPILLEN?

> EEN BEETJE LICHT IN HET HOOFD!

2. *In 1890 werd een meisje ingesmeerd met fosfor, zodat ze een geest kon spelen tijdens een seance (een bijeenkomst waarbij zogenaamd geesten verschenen). Het meisje werd erdoor vergiftigd en gaf de geest. Misschien is ze daarna wel een echte geest geworden.*

Tegenwoordig gebruiken de meeste Europeanen en Amerikanen geen kaarsen en open vuur meer. (Hoewel, het schijnt dat sommige laaghartige leraren zich tijdens stroomstoringen in wollen sjaals wikkelen en lesgeven bij kaarslicht. Als ze hun leerlingen maar niet naar huis hoeven te sturen!)

> MOMPEL, BRABBEL, MURMEL, PREVEL....

> BIBBER!

Maar meestal gebruiken we gas of elektriciteit, die gewonnen wordt uit kolen, aardgas of olie. Je bent nu vast wel benieuwd geworden naar deze belangrijke vormen van energie, dus hebben we een expert uitgenodigd om al je vragen te beantwoorden…

Waanzinnig wetenschappelijk vragenuurtje

Met Koos van de Kook van het ministerie van Energie

75

Wist je niet, hè?

Als olie uit de grond wordt gepompt, is het een walgelijke, dikke, groenzwarte drab, die ruwe olie wordt genoemd. Ruwe olie zit vol chemische stofjes, zoals paraffine, benzine en butaan (dat gebruikt wordt voor kampeerbranders). In het midden van de negentiende eeuw werd 'steenolie' (een mengsel waar onder andere benzine in zat) verkocht als medicijn voor kiespijn en likdoorns. De producent werd er steenrijk van!

Ruwe aardolie wordt verkocht per vat. Een vat is 735 liter. Elke seconde worden er over de hele wereld 1000 vaten olie verbruikt. Per dag jagen we er miljarden liters doorheen!

Vage vaktermen

Antwoord:
Pas op dat je deze wetenschappers niet per ongeluk beledigt! Deze geuranalist onderzoekt de geur van aardgas, je weet wel, waar je op kookt. Dat gas heeft van zichzelf geen geur, dus worden er reukstoffen (dat zijn die 'odoranten') aan toegevoegd zodat het lekker gaat stinken en de mensen het tenminste merken als de gaskraan open staat.

Gas wordt vaak uit de grond gehaald op plekken waar olie zit, maar ook van steenkool kan huis-, tuin- en keukengas gemaakt worden. Wist je dat dat is ontdekt door een uitvinder met een voorkeur voor compleet gestoorde hoeden?

Eregalerij der groten: William Murdock (1754-1839)
Nationaliteit: Schots

Mevrouw Murdock was woedend…
„Ongelofelijke snotaap, kijk nou wat je met m'n mooie oude

77

porseleinen theepot hebt gedaan! Een stuk oraf! Lomperik! Niks meer mee aan te vangen! Je heb geen hersens in je hoofd, jongen, al ben je dan honderd keer mijn eigen vlees en bloed!"

(Mevrouw Murdock gebruikte waarschijnlijk andere woorden, die te grof zijn om in een keurig boekje zoals dit te worden opgeschreven.)

De kleine William keek naar de grond en terwijl hij wat mompelde over wetenschappelijke experimenten, vloog de theepot vlak langs zijn oor en kletterde in duizend stukken uiteen op het gietijzeren fornuis achter hem.

Maar hij had mooi wel iets heel belangrijks ontdekt. Door steenkool te verhitten (in zijn moeders theepot, inderdaad) had hij ontdekt dat je zo een soort gas krijgt waarmee je warmte- en lichtenergie kunt maken, als je het verbrandt. William was sowieso een vrij praktisch kereltje. Hij had al een keer een driewieler van hout gemaakt om op tijd op school te kunnen zijn.

Heel opmerkelijk, want:

1. Wie wil er nou op tijd op school zijn?
2. De fiets was nog niet eens uitgevonden!

Toen William 23 jaar was, hoorde hij dat er in Engeland een fabriek was waar ze de grootste stoommachines ter wereld bouwden. Dat leek hem zo geweldig dat hij honderden kilometers naar de Soho-fabriek in Birmingham liep om daar een baantje te krijgen.

De baas, Matthew Boulton, wilde William net wegsturen, toen de hoed van de jongeman plotseling afviel en met een harde bonk op de vloer terechtkwam – logisch, want het ding was helemaal van hout. Jazeker, die hoed was een van Williams uitvindingen en zo kon Boulton meteen zien dat William uit het juiste hout gesneden was.

William bleef de rest van zijn leven werken voor Matthew Boulton en zijn zakenpartner, de Schot James Watt (1736-1819), die de stoommachine had uitgevonden. Hij repareerde in het hele land stoommachines, maar zag daarnaast nog kans om een stoomkoets uit te vinden en een manier om troebel bier helder te maken met behulp van vissenhuid (als je vader een fanatiek thuisbrouwer is, kon dat wel eens slecht nieuws zijn voor je goudvis).

William werkte verder aan zijn kolengasidee. Hij verhitte kolen in een reservoir en vervolgens pompte hij het gas door buizen, waar speciale gaskranen in zaten en waarin je het gas kon aansteken. Eerst verlichtte William zo het huisje in Cornwall waar hij werkte, en vervolgens de Soho-fabriek. Boulton vond het een geweldige ontdekking, maar hij liet William geen patent op het idee aanvragen. Uiteindelijk gingen anderen het ook doen en de echte uitvinder verdiende er geen cent aan.

Wist je niet, hè?

Gaslampen werden ook gebruikt als straatverlichting. Ze werden aan het eind van de achttiende eeuw in allerlei steden geplaatst. Het was elke dag een hele klus: de lampen moesten een voor een worden aangestoken.

De energiecrisis neemt kritieke vormen aan

Weet je nog wat Koos van de Kook zei over het opraken van fossiele brandstoffen? Misschien had je daar al eerder iets over gehoord. Er zit nog voor honderden jaren steenkool in de grond, maar olie en gas raken uitgeput. In de jaren negentig van de vorige eeuw slokte de mensheid drie miljard ton olie per jaar op. Volgens sommige wetenschappers moeten we voor een oplossing heel, héél klein denken.

Dossier extreme energie

NAAM: *Kernenergie*

ATOOM

DE SIMPELE FEITEN: 1. *Herinner je je die atomen nog? Nee? Dan krijg je hieronder even een korte opfriscursus.*

Atomen worden bij elkaar gehouden door supersterke krachten. En als die atomen uit elkaar worden getrokken, komt energie vrij, samen met dodelijke radioactieve stralen die een mens kunnen doden door zijn huid te verschroeien en de binnenkant van zijn darmen kapot te maken.

2. *Een kilo uraniumatomen levert genoeg energie om 200 miljoen olifanten een meter de lucht in te tillen.*

WE KOMEN VOOR HET URANIUM-EXPERIMENT...

Deze kant op

SPLIJT! SPLIJT! SPLIJT!

3. *In kerncentrales wordt water gekookt met de warmte-energie van gespleten atomen. Met de stoom wordt vervolgens elektriciteit gemaakt.*

EXTREME DETAILS: 1. *Op Three Mile Island in de VS ging in 1979 iets mis met een kerncentrale, waardoor die radioactief gas begon te lekken. In 1986 gebeurde hetzelfde in Tsjernobyl in Oekraïne.*

2. *Kerncentrales produceren radioactief afval dat nog tienduizenden jaren gevaarlijk kan blijven.*

Energievretend vraagje

Mensen hebben de gekste dingen gebruikt om energie op te wekken.

Kun jij de energie opbrengen om te raden wat nog nooit als brandstof is uitgeprobeerd?

a) Dode koeien.

b) Oude frituurolie uit de snackbar.

c) Stinkende rotte eieren.

d) Vieze luiers.

Antwoord:

c) Alhoewel er wel eierkolen bestaan, maar dat is iets heel anders. Wat die andere dingen betreft, in het jaar 2000...

a) wekten sommige Engelse energiecentrales stroom op door de kadavers van zieke koeien te verbranden. Over koeien gesproken...

b) reed een man in de Engelse stad Manchester met zijn heilige koe, eh… auto op frituurolie uit de snackbar, nadat die chemisch was omgezet in diesel. En dat liep gesmeerd!

d) gebruikten Franse cementfabrieken luiers als brandstof in hun cementovens.

Je kunt ook stroom opwekken met wind, golven, getijden en zonnestralen. Deze natuurlijke soorten energie worden 'duurzame energie' genoemd, omdat er altijd weer meer van gemaakt wordt. En diep in het binnenste van de aarde zit nog een ander soort duurzame energie, waar ook JIJ gebruik van kunt maken. Kijk maar…

BOUW JE EIGEN GEOTHERMISCHE CENTRAL

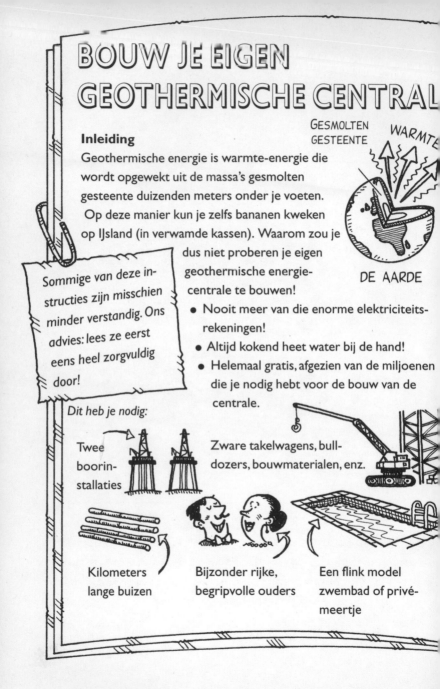

GESMOLTEN GESTEENTE

WARMTE

Inleiding

Geothermische energie is warmte-energie die wordt opgewekt uit de massa's gesmolten gesteente duizenden meters onder je voeten.

Op deze manier kun je zelfs bananen kweken op IJsland (in verwamde kassen). Waarom zou je dus niet proberen je eigen geothermische energie-centrale te bouwen!

DE AARDE

Sommige van deze in-structies zijn misschien minder verstandig. Ons advies: lees ze eerst eens heel zorgvuldig door!

- Nooit meer van die enorme elektriciteits-rekeningen!
- Altijd kokend heet water bij de hand!
- Helemaal gratis, afgezien van de miljoenen die je nodig hebt voor de bouw van de centrale.

Dit heb je nodig:

Twee boorin-stallaties

Zware takelwagens, bull-dozers, bouwmaterialen, enz.

Kilometers lange buizen

Bijzonder rijke, begripvolle ouders

Een flink model zwembad of privé-meertje

HEET
GESTEEN-
TE

HUIS

BUIZEN

ZWEMBAD

KEND
TER

Bouwinstructies:

1. Zet je boorinstallaties klaar en boor 7 km diep tot je gesteente raakt dat heet genoeg is om water mee te koken.

2. Vergeet niet om de buizen in de gaten te duwen als je klaar bent met boren.

3. Verbind de buizen in het tweede boorgat met de warmwaterleiding van je huis. En bedenk dat de buren ook dolblij zijn met een aansluiting!

4. Nu komt het leukste! Verbind de buizen uit je eerste boorgat met het zwembad en zet de kraan aan, zodat het water in het gat stroomt.

5. Nu stroomt er superheet water omhoog door het tweede boorgat, rechtstreeks de waterleiding in!
Waarschuwing: zorg dat er niet te veel druk op de ketel komt, anders kunnen je radiatoren ontploffen!

OEPS!

De kleine lettertjes
Als er gesmolten gesteente omhoogkomt vanuit je boorgaten, heb je een vulkaan gemaakt die de hele buurt, inclusief je school, kan begraven onder duizenden tonnen kokend hete lava. Misschien is dat een goed moment om het land te verlaten.

En als je het koud krijgt, wrijf je je handen gewoon warm. Weet je nog hoe warm dat uitgeboorde kanon op bladzijde 33 werd? Nou, je handen wrijven op precies dezelfde manier tegen elkaar aan als de boor in de loop van het kanon: de wrijving verandert de bewegingsenergie in warmte-energie. Makkelijk zat!

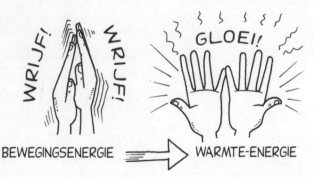

BEWEGINGSENERGIE ⟹ WARMTE-ENERGIE

Aan de andere kant vind je in het volgende hoofdstuk ook meer dan genoeg bewegingsenergie. Laten we maar weer eens in beweging komen voor het...

VOLGENDE HOOFDSTUK

86

BEWEEGLIJKE BEWEGINGSENERGIE

Kijk uit het raam en je ziet vast en zeker iets bewegen. Een kat zit achter een vogel aan, of een hond achter een kat, of een zootje kinderen achter de hond… of de buren jagen op die kinderen. Misschien jaagt een moordzuchtige Tyrannosaurus wel achter de buren, de kinderen, de hond, de kat én de vogel aan. Hoe dan ook, ze hebben allemaal iets gemeen, namelijk…

Vage vaktermen

IK ONDERZOEK KINETISCHE ENERGIE.

Zeg je dan…

IK BEN DÔL OP DE KITTENS VAN SIAMEZEN?

Antwoord:
Nee, nee, nee! Er is echt geen woord Siamees bij wat die wetenschapper zegt. Kinetische energie is de wetenschappelijke naam voor bewegingsenergie. Dus elke beweging die je maakt, wordt veroorzaakt door kinetische energie. Klinkt heel simpel, toch?

Wist je niet, hè?
Alle kinetische energie zorgt voor een verlies van warmte-energie.
Geloof je me niet? Ga maar eens een eindje hardlopen...

ZOEK DE VERSCHILLEN

VOOR
HET HARDLOPEN

NA
HET HARDLOPEN

Machines verliezen ook massa's warmte, zoals je verderop in dit hoofdstuk nog zult ontdekken.

Kinetische energie beweegt aardslakken, auto's en asteroïden... alles eigenlijk.

Het zorgt zelfs voor monsterlijke vloedgolven, die tsunami's worden genoemd. Enorme aardverschuivingen in zee leveren dan de kinetische energie voor zulke gruwelijke golven. Ze razen over de oceaan en als ze de wal raken, kunnen ze voor veel doden en schade zorgen. (Op 26 december 2004 werd een groot deel van Azië getroffen door zo'n enorme tsunami.)

Zulke hoge, vernietigende golven komen gelukkig niet elke dag voor. En omdat het ook moeilijk is te voorspellen wanneer er ergens een tsunami is, gaan we proberen om zelf een kleine tsunami te maken – zonder je huis al te erg te beschadigen.

Durf jij te ontdekken… hoe bewegingsenergie werkt?

Dit heb je nodig:

EEN
ZAKLAMP

EEN AFWASTEIL VOL WATER (LIEFST IN
DE GOOTSTEEN EN NIET BOVEN HET
HOOFD VAN JE BROERTJE/ZUSJE)

Dit moet je doen:
1. Wacht tot het donker is. Doe dan
de zaklamp aan en hou hem ongeveer 60 cm boven de teil.
2. Zet de kraan net ver genoeg open
om een druppel water in de teil te
tappen. (Of laat een druppel water
van je vinger in de teil vallen van een
hoogte van ongeveer 30 cm.)

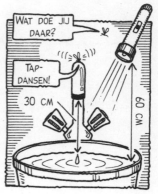

Je zult merken dat de rimpelingen:
a) vanuit het midden in het water verschijnen en daarna weer
verdwijnen?
b) van buiten naar binnen toe gaan?
c) naar buiten toe gaan en dan weer terug?

Antwoord: **c)** Zag je die kleine, terugkaatsende rimpelingen? De kinetische energie van de vallende druppel maakt
rimpelingen van bewegingsenergie in het water. De rimpe-
ling raakt energie kwijt aan de rand van de teil en daarom
wordt hij zwakker als hij terug naar het midden golft.

Magische machines

Het idee achter allerlei met de hand aangedreven machines is om klusjes makkelijker te maken door energie te besparen. Een blikopener gebruiken kost minder energie dan de andere manier…

Maar veel machines hebben nog minder menselijke energie nodig. Die werken op energie uit brandstof. En toevallig is het nu net tijd om kennis te maken met de opa van al dit soort machines, die leefde in de eerste eeuw van onze jaartelling…

HI-TECH MAGAZINE

EFFECTBAL

4. Bewegingsenergie van de ontsnappende stoom laat de bal draaien.

3. Stoom uit de ketel wordt omhooggeduwd in buizen

Echt verbazingwekkend, dit schitterende stoomapparaatje van de bekende bolleboos Hero van Alexandrië.

2. Water in de ketel wordt warm.

1. Vuur maakt warmte-energie.

SUPER, HERO!

DRAAI!

Noot van de redactie: *Geen idee waar deze uitvinding goed voor is, maar die Hero is een uitgekookte kerel die ook deuren op stoom heeft uitgevonden, die open en dicht gaan zonder dat je ze hoeft aan te raken. En een door water en lucht aangedreven orgel.*

Dit idee had de Romeinse technologie behoorlijk op stoom kunnen brengen. Moet je nagaan: de Romeinen hadden stoomtreinen kunnen bouwen, en stoomschepen... maar dat hebben ze niet gedaan. Zoals dit tijdschrift al meldde, wist niemand wat je met stoommachines kon doen en de Romeinen hadden er helemaal geen behoefte aan om hun spierkracht te sparen. Ze hadden tenslotte genoeg slaven om al het zware werk te doen.

Pas 1600 jaar later vond Thomas Savery (1650-1715) dit idee opnieuw uit. Op een avond dronk deze uitvinder een fles wijn leeg. Hij was te dronken om de fles weg te gooien, dus keilde hij hem in het vuur. Er kwam stoom uit de fles en Savery was nog net nuchter genoeg om te zien dat het laatste restje van de wijn in stoom veranderde. Toen haalde de dronken ontdekker de fles uit het vuur en hield hij hem onder water om hem te laten afkoelen. En tot zijn grote verbazing werd het water de fles in gezogen!

Wat gebeurde er nou precies?

Wetenschapper worden... iets voor jou?

Wat veroorzaakte dit effect volgens jou?

a) Terwijl de fles afkoelde, werd hij ietsje groter, waardoor er ruimte kwam voor het water.

b) De lucht koelde af en nam minder ruimte in, zodat het water erin kon stromen.

c) De hete wijn trok het water naar binnen met een of andere mysterieuze kracht.

Antwoord:

b) Als lucht warmte-energie krijgt, zet hij uit, weet je nog? Als de lucht afkoelt, neemt hij minder ruimte in.

Savery kwam hier ook achter en ging machines ontwerpen om water mee uit mijnen te pompen. In de tachtig jaar daarna verbeterden uitvinders zoals Thomas Newcomen (1663-1729) en James Watt de stoommachine tot die allerlei machines kon aandrijven, waaronder ook transportmiddelen zoals treinen en schepen. De wereld was voorgoed veranderd, en dat kwam allemaal omdat een zatte wetenschapper te diep in zijn fles had gekeken.

Wist je niet, hè?
Voordat we allemaal knappe koppen uit andere landen gaan noemen: de grootste stoommachine die ooit is gebouwd, staat in Nederland! Het is het gemaal Cruquius, een van de drie gemalen waarmee de Haarlemmermeer halverwege de negentiende eeuw is ingepolderd. Je kunt de machine nog steeds bekijken.

Op de volgende bladzijde zie je een van Watts ontdekkingen – wat een uitvinding, hè? Dit is een geweldige manier om warmte-energie om te zetten in bewegingsenergie. (Dat is de eerste wet van de thermodynamica, weet je nog?)

~ WATTS STOOMMACHINE ~

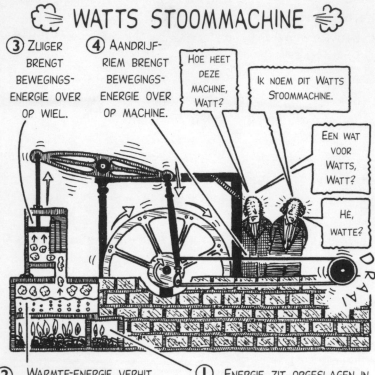

③ ZUIGER BRENGT BEWEGINGS-ENERGIE OVER OP WIEL.

④ AANDRIJF-RIEM BRENGT BEWEGINGS-ENERGIE OVER OP MACHINE.

② WARMTE-ENERGIE VERHIT WATER TOT STOOM. STOOM HEEFT BEWEGINGSENERGIE.

① ENERGIE ZIT OPGESLAGEN IN STEENKOOL. STEENKOOL WORDT VER-BRAND OM WARMTE-ENERGIE TE MAKEN.

Een paar weetjes om goed op stoom te komen

1. Uitvinders waren gefascineerd door stoommachines. In de jaren dertig van de achttiende eeuw mocht het 11-jarige jongetje John Smeaton (1724-1794) een van Newcomens machines bekijken. Hij vond het zo geweldig dat hij thuis een klein stoommachientje bouwde om de goudvissenvijver van zijn vader leeg te pompen. Probeer dit vooral niet na te doen! Gelukkig overleefde John de straf die hij toen kreeg, en werd hij later een beroemde ingenieur die kanalen en vuurtorens bouwde.

2. Uitvinders zoals William Murdock bouwden stoomwagens die over de weg reden, net als onze auto's. In 1801 bouwde Richard Trevithick (1771-1833), een vriend van Murdock, zijn eigen stoommachine en hij ging er even een ritje mee maken. De machine ging kapot, maar de uitvinder wist hem weer aan de praat te krijgen en ging toen naar de kroeg om zijn succes te vieren. Helaas had hij het vuur aan gelaten. De ketel kookte droog en de wagen ontplofte. Dat was een hele klap voor die arme Trevithick!

3. In 1894 bouwde de uitvinder Hiram Maxim (1840-1916) een gigantisch vliegtuig met 38 meter brede vleugels en ingebouwde stoommachines. Maar de machines waren niet sterk genoeg om het zware vliegtuig de lucht in te krijgen. Het kwam maar een paar centimeter van de grond en viel toen in puin. Maxim zelf was er ook kapot van!

Het succesvolste gebruik van stoomkracht was de stoomturbine. Turbines worden gebruikt om energie op te wekken in energiecentrales. Maar dat was in het verleden echt niet het enige waar die dingen goed voor waren...

Eregalerij der groten: Charles Parsons (1854-1931)
Nationaliteit: Iers

De kleine Charles werd rijk geboren, steenrijk zelfs. Zijn vader
was astronoom en gek van wetenschap, en toevallig ook nog
de graaf van Rosse, compleet met een eigen kasteel. In 1845
bouwde deze graaf 's werelds grootste telescoop. Maar het
15 meter lange monster bleek een totale mislukking, want je
had er alleen maar iets aan bij heldere hemel en in dat deel
van Ierland regende het nogal vaak!
De kleine Charles was veel te rijk om gewoon naar school te
gaan, dus had hij zijn eigen privéleraar, net als James Joule.
Charles kreeg al jong belangstelling voor wetenschap en begon machines uit te vinden. Hij bouwde een stoomkoets en
ging daarmee uit rijden met zijn broers. Op een keer nam hij
zijn tante mee voor een ritje, maar ze viel eraf en stierf.

Charles ging werken bij een bedrijf dat stoommachines
bouwde. Hij vond zijn werk zo leuk dat hij vlak na zijn bruiloft
zijn kersverse bruid op hun huwelijksreis meesleepte naar een
akelig, koud meer, waar zijn nieuwe turbines werden uitge-
test. Charles hield er een hoop wetenschappelijke gegevens
aan over, en zijn vrouw een flinke verkoudheid.

In de jaren tachtig van de negentiende eeuw ontwikkelde Charles zijn turbine. Het idee was simpel: kleine schoepen die in beweging werden gezet door de bewegingsenergie van hete stoom. Die schoepen draaiden zelfs heel erg snel en Charles besefte dat hij ze kon gebruiken om een propeller aan te drijven, zodat hij een schip kon laten varen. En wat er toen gebeurde…

Het geheime dagboek van admiraal Windbuil

1894 — Ik heb net bezoek gehad van dat uitvindertje Parsons. Net zo'n mafkees als zijn vader! Ik heb nog nooit zoveel apekool en kletskoek bij elkaar gehoord! Hij zegt dat hij een schip kan bouwen dat meer dan zestig kilometer per uur kan halen — dat is sneller dan welk schip dan ook! Parsons zegt dat hij een werkend model heeft, maar ik heb hem gezegd dat niets zo snel gaat als een gewone stoomboot. Hoewel ik persoonlijk ook niet inzie wat er mis is met windenergie. Toen ik klein was, was dat goed genoeg!

1895 — Weer een brief van die sukkel
van een Parsons. Alle admiraals valt hij lastig
met zijn krankzinnige ideeën. Hij weet
gewoon niet van ophouden. Ze moesten die
kerel kielhalen en geselen op de koop toe!
Zijn brief staat vol wetenschappelijk gebrabbel. Hij
zegt dat hij nu een echte boot heeft gebouwd,
die hij ons wil laten zien. Nou, mooi niet! Wij admiraals hebben wel belangrijkere dingen te doen.
Cruises en zo.

1896 — Let maar niet op mijn handschrift, ik
ben diep geschokt. Vandaag was de vlootschouw.
Elk jaar kijken wij admiraals vol
trots toe, terwijl onze majestueuze
vloot voorbij stoomt, en dan drinken we
een glas op Hare Majesteits gezondheid.
Maar vandaag dus niet. Nee, vandaag niet...
Het hele feest werd bedorven door een bootje
dat met 63 kilometer per uur voorbij kwam flit-
sen! Ik stond met mijn mond open van verbazing en
toen viel mijn kunstgebit eruit. Die arme admiraal
Snuff was zo overstuur dat hij de hele dag door
de verkeerde kant van zijn kijker
heeft lopen turen!
Ik wierp een blik door
mijn eigen kijker en

zag die donderstraal van een Parsons op die snelle boot zitten. Hij had ook nog het lef om te lachen en te zwaaien! Als het aan mij had gelegen, hadden onze oorlogsschepen hem naar de haaien gebombardeerd. Maar ja, niemand kon hem bijhouden! Ik moet helaas toegeven dat hij zelfs onze snelste schepen ver achter zich liet.

Mijn collega-admiraals denken er nu over na om zulke nieuwerwetse turbines te bestellen. Het lijkt erop dat onze hele marine in een klap verouderd is!

Je vindt het vast leuk om te horen dat Parsons rijk en beroemd werd, hoewel hij later bijna al zijn geld verkwistte in een poging om diamanten te maken van grafiet. Dat is dat spul waar ze potloodpunten van maken.

Gratis energie!
Bedenk dat wetenschappers al honderden jaren proberen om een nog veel sterkere machine te bouwen. Een machine die nooit nieuwe energie nodig heeft! Een machine die, als hij eenmaal aan de gang is, nooit meer ophoudt! Een gratis 'ontelbaargangenmenu', zoals onze vraatzuchtige verslaggever Harvey Tucker zou zeggen. Wetenschappers noemen het een 'perpetuum mobile'.

MAAR WACHT EVEN, ZEI JE EERDER NIET DAT VOLGENS DE TWEEDE WET ALLES ENERGIE VERLIEST IN DE VORM VAN WARMTE EN DAT JE DUS ALTIJD NIEUWE ENERGIE MOET TOEVOEGEN?

ZEER OPLETTENDE LEZER

Verdraaid, dat is ook zo! Bovendien, zoals ik al zei, leidt bewegingsenergie tot verlies van warmte-energie en dat wil zeggen dat alle machines vroeg of laat door hun energie heen
zijn.

In 1824 berekende de Franse wetenschapper Nicolas Sadi
Carnot (1796-1832) dat stoommachines daardoor nooit per-
fect zullen werken.

Maar ik zei toch ook niet dat perpetuum mobiles werken?
Hoewel het nog behoorlijk lang duurde voor de wetenschap
daarachter was...

DE WETENSCHAPSKRANT

Leg uw vraag voor aan professor Frank Helper

Bent u een wetenschapper met een beschamend probleem? Zou het helpen als u met iemand kon praten die u begrijpt? Schrijf mij dan en uw geheim blijft veilig – behalve natuurlijk voor onze 567.000 lezers! Deze week: het perpetuum mobile...

Beste Frank,
Ik heb een perpetuum mobile gebouwd, maar hij doet het niet. Wel een tegenvaller, want ik ben een beroemde architect en niet de eerste de beste sukkel.
Toch?

Villard de Honnecourt
(13e eeuw)

Beste Villard,
Toch wel! Dat wiel van u zal er altijd een keer mee ophouden, door de wrijving tussen het wiel en de as, die de bewegingsenergie van het wiel omzet in warmte-energie. Misschien moet u uw energie weer gaan besteden aan de architectuur?

Beste Frank,
Ik ben een edelman en ook een groot aanhanger van koning Karel in zijn gevechten met het parlement en ik ben een paar keer gearresteerd. Maar dat is genoeg over mij. Ik schrijf omdat ik een perpetuum mobile heb gebouwd: een wiel dat in werking wordt gezet door vallende balletjes – zie bijgevoegde tekening. Hij blijft heel lang draaien, maar dan houdt hij er toch weer mee op.

VERVOLG

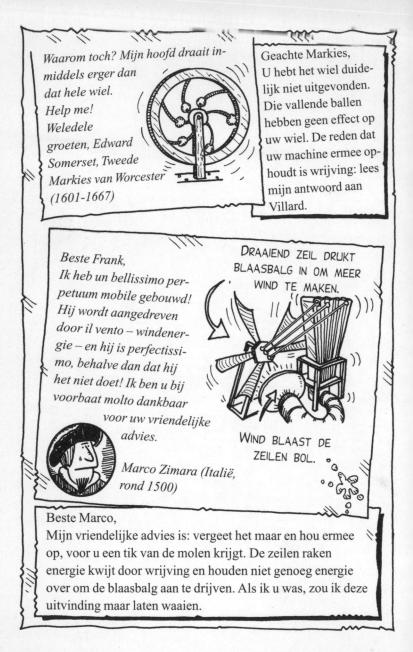

Waarom toch? Mijn hoofd draait in-middels erger dan dat hele wiel. Help me! Weledele groeten, Edward Somerset, Tweede Markies van Worcester (1601-1667)

Geachte Markies,
U hebt het wiel duidelijk niet uitgevonden. Die vallende ballen hebben geen effect op uw wiel. De reden dat uw machine ermee ophoudt is wrijving: lees mijn antwoord aan Villard.

*Beste Frank,
Ik heb un bellissimo perpetuum mobile gebouwd! Hij wordt aangedreven door il vento – windenergie – en hij is perfectissimo, behalve dan dat hij het niet doet! Ik ben u bij voorbaat molto dankbaar voor uw vriendelijke advies.*

Marco Zimara (Italië, rond 1500)

DRAAIEND ZEIL DRUKT BLAASBALG IN OM MEER WIND TE MAKEN.

WIND BLAAST DE ZEILEN BOL.

Beste Marco,
Mijn vriendelijke advies is: vergeet het maar en hou ermee op, voor u een tik van de molen krijgt. De zeilen raken energie kwijt door wrijving en houden niet genoeg energie over om de blaasbalg aan te drijven. Als ik u was, zou ik deze uitvinding maar laten waaien.

Ja, perpetuum mobiles zijn ontzettend onwaarschijnlijk. Het Italiaanse megagenie Leonardo da Vinci (1452-1519) zei het ook al, maar dan ietsje eleganter:

> O, GIJ STUDENTEN DER PERPETUUM MOBILES! HOEVEEL ZINLOZE DINGEN HEEFT U GESCHAPEN IN UW ZOEKTOCHT ERNAAR.

En Leo kon het weten – hij had zelf ook een perpetuum mobile gebouwd, die (niet omvallen van verbazing) het niet deed.

De Italiaanse wetenschapper Gerolamo Cardano (1501-1576) gebruikte wiskunde om te berekenen dat het perpetuum mobile een onmogelijkheid is. Gerolamo had een behoorlijk spannend leven. Hij werd opgevoed door zijn strenge grootmoeder die hem nogal wreed behandelde als hij stout was. Desondanks werd Gerolamo arts en wetenschapper. Hij beweerde bijvoorbeeld (en hij had gelijk) dat vuur geen substantie is, zoals veel mensen vroeger dachten. Maar hij had ook een paar vurige tegenstanders…

In 1570 werd hij door de kerk gearresteerd omdat hij zijn belangstelling voor astrologie (sterrenbeelden) gebruikte om iets te diep over het geloof na te denken. Ze dreigden hem te martelen en op de brandstapel te gooien als hij niet toegaf dat hij verkeerd zat. Moest hij bekennen? Dat was de brandende vraag. Slim als hij was, deed Gerolamo wat het verstandigste was en hij werd vrijgelaten.

Maar later werd zijn zoon, die iemand had vermoord, onthoofd. Gerolamo kreeg ruzie met zijn andere zoon en vro de regering om die te verbannen naar een andere stad, om hij een 'jongeling met kwade gewoontes' was. Hopelijk is jouw vader ietsje minder streng!

Om kort te gaan: het perpetuum mobile is onmogelijk. De energiewetten staan het niet toe. Maar wat krijgen we nou?

TOCH EEN PERPETUUM MOBILE!

Komt dat zien, een perpetuum mobile, gebouwd door mijzelf, Johann Bessler, beter bekend als 'Orffyreus', met de nieuwste achttiende-eeuwse technologie.

Ja, Orffyreus, de grote genezer, arts, waarzegger, schilder, horlogemaker en veelzijdig genie is erin geslaagd!!

Entree: I Mark

WOW!

HELEMAAL ZELF GEMAAKT!

Deze machine is twee keer onderzocht door de grootste wetenschappers van Duitsland en helemaal echt bevonden!

U zag de machine, koop nu het boek: 600 bladzijden over mij en over hoe slim ik ben!

DE GROTE TRIOMF VAN ORFFYREUS: HET PERPETUUM MOBILE

„Wat een enorme hoeveelheid… boek!"
Saksisch Dagblad

„Dit is het meest… boek dat ik ooit gelezen heb!"
Kasselse Gazet

NOOT VOOR DE LEZER:
Geen paniek, de wetten van de thermodynamica zijn niet gebroken. Lees maar verder, dan zul je het zien…

BEKENTENIS

Ik, Gretel Braun, het dienstmeisje van Johann Bessler, beken dat mijn meester een oplichter is en dat zijn machine is gebouwd om goedgelovige mensen geld afhandig te maken. Hij heeft al het spaargeld van zijn vrouw gebruikt om deze machine te bouwen, maar hij stond niet toe dat iemand erin keek — zelfs die wetenschappers niet die zeiden dat hij echt was. Waarom? Omdat er een hendel door de muur gaat waarmee je het wiel laat draaien! En ik kan het weten. Ik moest die rottige hendel ronddraaien als er mensen kwamen om de machine te bekijken.

O, O, O, MIJN ARME RUG!

PS: Stel mij alstublieft niet terecht. Ik deed alleen mijn werk maar!

Dus de machine van Johann Bessler (1680-1745) werkte gewoon op ouderwetse, vertrouwde spierkracht. En dat brengt ons meteen bij het volgende hoofdstuk. Ik ga nog niet zeggen wat daar in staat, want ik wil de verrassing niet bederven. Een hint? Oké: het is warm, het is zweterig en het is helemaal van jou…

ZWETERIGE LICHAAMSDELEN

Dit hoofdstuk gaat over de manier waarop je lichaam energie gebruikt. Jazeker, we gaan nu echt serieus aan de slag. Wij wel tenminste... Harvey Tucker blijft natuurlijk gewoon met een emmer popcorn voor de tv hangen.

Dossier extreme energie

NAAM: *Energie en je lichaam*

DE SIMPELE FEITEN: 1. *Je lichaam is een levende machine die de energie uit je eten omzet in bewegingsenergie om je spieren in beweging te zetten.*

2. *Eigenlijk wordt maar een kwart van de energie die je spieren gebruiken ook echt gebruikt voor beweging. De rest wordt warmte-energie, die afgegeven wordt door je lichaam.*

BEWEGING

WARMTE-ENERGIE

EXTREME DETAILS:
Wist je dat de energie in je lichaam gemaakt wordt door piepkleine wezentjes die ooit bloeddorstige bacteriën waren? Echt waar!

Lees verder voor de doodenge details...

SLIK!

Baden in het zweet

Extreme lichaamsbeweging is dagelijkse kost voor atleten. In 2000 zei de Keniaanse marathonloopster Tegla Laroupe dat zij was gaan hardlopen omdat ze tien kilometer naar school moest lopen en als ze te laat kwam, kreeg ze straf. Al gauw rende Tegla 192 kilometer per week. Dat komt neer op bijna tien keer op en neer naar haar school.

Zin om dat een keertje uit te proberen?

En over lichaamsbeweging gesproken, hier zie je een paar behoorlijk verknipte vrijetijdsbestedingen die in elk geval niét besteed zijn aan Harvey Tucker...

DOL OP DANSEN?

Probeer dan deze dansmarathon uit de jaren dertig van de twintigste eeuw.

Ja, mensen, dat betekent dansen tot je erbij neervalt. De winnaar is degene die het langst op de been weet te blijven.

REGELS: 1. Verboden te slapen. 2. Je moet blijven bewegen. Als je niet hard genoeg danst, slaan we met natte handdoeken tegen je benen! 3. Je krijgt een kwartier rust per uur, dus zorg dat je in die tijd naar de wc gaat en bij de EHBO langsgaat, als je het tenminste wilt overleven. 4. Als je tijdens de dansmarathon sterft, word je gediskwalificeerd.

BELANGRIJKE MEDEDELING
We hebben net ontdekt dat dansmarathons in de VS verboden zijn sinds 1937, nadat een paar mensen hun verstand hadden verloren van pure vermoeidheid. Deze gezellige activiteit is afgelast! Wie zich al had ingeschreven, krijgt zijn geld terug… tenminste, als de organisatie dat nog kan terugvinden.

In de jaren veertig werden er nog steeds dansmarathons gehouden in Amerika, maar dan in het diepste geheim…

DANSERS IN DE BOOT GENOMEN!

Nieuws uit New York

Na een politie-inval bij een illegale dansmarathon werden de deelnemers niet afgevoerd naar de gevangenis, maar vervoerden de organisatoren hen snel naar de haven, waarna ze per schip uitvoeren tot buiten de Amerikaanse territoriale wateren. Door de ruwe zee begon het schip zo te dansen, dat ze er allemaal zeeziek van werden. Zoals een van de dansers zei: „Die golven kotsen, eh... klotsen zo hard dat ik helemaal van slag braak, eh… raak!"

WAANZINNIGE WETENSCHAP

FITNESSVAKANTIES

WESTERN STATES ENDURANCE RUN!?

Je moet 161 kilometer hardlopen bij temperaturen die hoger zijn dan die van je lichaam. In 2004 liep de Amerikaan Scott Jurek deze ultramarathon in 15 uur, 36 minuten en 27 seconden!

WAARSCHUWING!
Je lichaam droogt uit en je kunt wel 7% van je lichaamsgewicht verliezen.

← START

FINISH

En nu we toch bezig zijn, schrijf je dan ook in voor de

IRONMAN TRIATLON VAN HAWAÏ!

SPAT!

TRAP!

REN!

3,8 km zwemmen

180 km fietsen

Een marathon van 42,2 km lopen en dat zonder uit te rusten!

WAARSCHUWING!
Je hebt maar één hele dag voor deze triatlon, dus wel een beetje doorzetten, anders mis je je vlucht en moet je een heel eind zwemmen om van dit eiland weer thuis te komen.

Maar al deze energieke activiteiten roepen wel waanzinnig veel wetenschappelijke vragen op. Hoe verandert je lichaam die energie uit je eten nou precies in energie om in actie te komen? Hoe kan een broodje pindakaas bijdragen aan een nieuw wereldrecord kogelstoten?

Eerst maar even de theorie...

1. Driehonderd jaar geleden geloofden wetenschappers dat er buskruit in spieren zat, dat dan ontplofte om ze in beweging te zetten. Dit idee was nog niet eens zo gestoord als het klinkt, want buskruit zit vol energie. En je spieren gebruiken energie uit andere dingen die vol energie zitten, namelijk je eten. Maar de buskruittheorie werd al heel gauw afgeschoten.

2. De Franse scheikundige Antoine Lavoisier (1743-1794) had belangstelling voor verbranding en ademhaling. Hij wees erop dat je zwaarder ademt als je hard werkt. De brandende vraag was natuurlijk hoe dat komt. Lavoisier vermoedde dat er een soort verbranding plaatsvond in de longen om eten in energie om te zetten.

3. Toen zei een andere wetenschapper, een zekere Joseph Lagrange (1736-1813), dat de longen in brand zouden vliegen als ze voedsel zouden verbranden. Hopelijk doen jouw longen dat niet – ook niet na het eten van extra hete chili con carne!

4. De Duitse wetenschapper Justus von Liebig (1803-1873) dacht dat de levenskracht van het lichaam de spieren liet bewegen.

Maar hoe slim en diepzinnig al deze wetenschappers ook waren, ze kwamen mooi niet achter de waarheid. Het antwoord op de vraag hoe het lichaam energie gebruikt, zit in de kleine details. Hoe klein? O, ongeveer 0,02 mm groot. Het heet een cel, en om daar meer over te weten te komen moet je even dit zeldzame boek lezen: 'De werking van het lichaam', geschreven door de beroemde Dr. Jekyll en Mr. Hyde. Dr. Jekyll schijnt een hele aardige vent te zijn, maar als hij een bepaald drankje drinkt, verandert hij in een bloeddorstig monster…

DE WERKING VAN HET LICHAAM

door Dr. Jekyll en Mr. Hyde

VOORWOORD

Dr. Jekyll schrijft…
Geachte lezer,
Welkom in ons boekje over de werking van het lichaam. U zult vast genieten van de vele fascinerende feiten en de geweldig gave grafiekjes…

DR. J

Mr. Hyde schrijft…
GRRR! Doorlezen een beetje, stelletje sukkels, of ik sluip je huis binnen en ruk je hart uit en vreet het op! Mmm, ik heb honger! HA HA HA!

MR. H

Hoofdstuk 1: Voedsel voor je cellen

Dr. Jekyll schrijft…
Je lichaam bestaat uit triljoenen cellen die energie nodig hebben om eiwitten in elkaar te zetten. Dat zijn scheikundige stofjes die

111

gebruikt worden om alle delen op te bouwen waaruit je lichaam bestaat. Iedere
cel is een piepklein levend machientje
dat energie aanmaakt in duizend
kleine afdelinkjes die mitochondria
heten. Mitochondria maken
energie van glucose. Dat is een
soort suiker en het zit in meel,
brood, granen en zoete dingen…

BINNENKANT VAN EEN CEL

Mr. Hyde schrijft…
ARGH! Laat die Jekyll doodvallen met zijn snoepjes en
koekjes! Je cellen halen glucose

uit je bloed, dus als je
extra glucose wilt, DRINK
DAN GEWOON IEMANDS
DAMPENDE BLOED!
HA HA!!!

Hoofdstuk 2: Bruikbare energie voor je lichaam

*Er zijn twee manieren om uit te leggen hoe de mitochondria
energie maken: een makkelijke en eentje met allerlei wetenschappelijke details. Als wetenschapper kies ik voor…*

Niks geen details, die zijn DOODSAAI! Wie details wil,
draai ik door de GEHAKTMOLEN! Die mitodingesen werken gewoon uit zichzelf - wat maakt het uit wat ze precies
doen? NIETS!

Ik heb een diagram getekend om dit proces op een makkelijke manier uit te leggen.

HOE CELLEN ENERGIE MAKEN

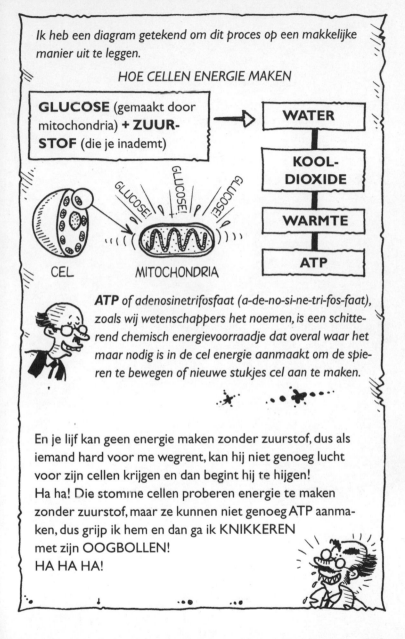

GLUCOSE (gemaakt door mitochondria) **+ ZUUR-STOF** (die je inademt) → **WATER**

KOOL-DIOXIDE

WARMTE

ATP

CEL   MITOCHONDRIA

ATP *of adenosinetrifosfaat (a-de-no-si-ne-tri-fos-faat), zoals wij wetenschappers het noemen, is een schitterend chemisch energievoorraadje dat overal waar het maar nodig is in de cel energie aanmaakt om de spieren te bewegen of nieuwe stukjes cel aan te maken.*

En je lijf kan geen energie maken zonder zuurstof, dus als iemand hard voor me wegrent, kan hij niet genoeg lucht voor zijn cellen krijgen en dan begint hij te hijgen!
Ha ha! Die stomme cellen proberen energie te maken zonder zuurstof, maar ze kunnen niet genoeg ATP aanmaken, dus grijp ik hem en dan ga ik KNIKKEREN met zijn OOGBOLLEN!
HA HA HA!

Mysterieuze mitochondria

1. In je lichaam zijn op dit moment zo'n tien miljoen miljard (een 1 met 16 nullen) mitochondria energie aan het maken om je lichaam aan de praat te houden. Ze zijn zo klein dat er wel een miljard in een zandkorreltje passen.

2. Mitochondria zien eruit als piepkleine, bruinrode wurmpjes en ze vermeerderen zich door zichzelf in tweeën te splitsen. Wetenschappers denken dat mitochondria ooit microben waren die een miljard jaar geleden in cellen zijn gaan zitten. Eerst waren ze een ziekte, maar toen vonden de cellen en de mitochondria een manier om samen te leven…

114

Dus met elke hap eten en iedere ademhaling geef je allerlei vreemde indringers in je lichaam te eten!

3. Je erft je mitochondria van je moeder. Dat komt omdat de mitochondria in je cellen afstammen van een klein eitje uit haar lichaam. Hoeveel energie je hebt, hangt van een heleboel dingen af, maar eigenlijk krijg je je energie dus van je moeder!

Supersterke spieren
Het deel van je lichaam dat écht veel energie nodig heeft, is je spierstelsel. Maakt niet uit of je spierballen als kanonskogels hebt of eruitziet als een wandelende tak op dieet. Je spieren zijn de plek waar je lichaam opgeslagen chemische energie uit ATP omzet in bewegingsenergie. Gespierde taal, nietwaar?

Dossier extreme energie

NAAM: *Spieren*
DE SIMPELE FEITEN:
1. *Het woord 'spier' betekent eigenlijk spriet of vezel. Je spieren zijn namelijk opgebouwd uit vezels. En als die vezels aan het feesten slaan, krijg je een spierbal.*

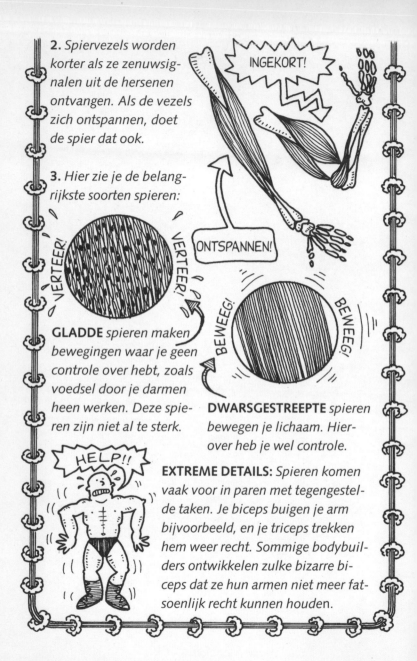

2. *Spiervezels worden korter als ze zenuwsignalen uit de hersenen ontvangen. Als de vezels zich ontspannen, doet de spier dat ook.*

3. *Hier zie je de belangrijkste soorten spieren:*

INGEKORT!

ONTSPANNEN!

VERTEER!

VERTEER!

BEWEEG!

BEWEEG!

GLADDE *spieren maken bewegingen waar je geen controle over hebt, zoals voedsel door je darmen heen werken. Deze spieren zijn niet al te sterk.*

HELP!!

DWARSGESTREEPTE *spieren bewegen je lichaam. Hierover heb je wel controle.*

EXTREME DETAILS: *Spieren komen vaak voor in paren met tegengestelde taken. Je biceps buigen je arm bijvoorbeeld, en je triceps trekken hem weer recht. Sommige bodybuilders ontwikkelen zulke bizarre biceps dat ze hun armen niet meer fatsoenlijk recht kunnen houden.*

Heb je nu een beetje in je hoofd hoe je lichaam energie maakt en hoe het zit met die mitochondria en al die spieren? Mooi! Laten we hopen dat je nog wat energie over hebt voor deze nogal vermoeiende quiz…

Zeven superenergieke quizvragen
Deze quiz zal je niet al te veel tijd kosten, want elke vraag heeft maar twee mogelijke antwoorden. Ik hoop alleen dat je geen twee scoort voor dit 'proefwerk'!

1. Baby's hebben dit meer dan volwassenen. Wat is het?
a) Ingebouwde centrale verwarming.
b) Koud bloed.
2. Hoeveel warmte-energie straalt je lichaam uit als je een uur lang tv kijkt?
a) Net zoveel als een elektrisch kacheltje.
b) Net zoveel als een gloeilamp.
3. Wat is waar?
a) Luie mensen leven langer dan hardwerkende mensen omdat ze minder energie opmaken.
b) Van hard werken is nog nooit iemand doodgegaan (zoals dokter Graftak altijd zegt).

4. Waarom lijken kinderen meer energie te hebben dan volwassenen?

117

a) Kinderen maken sneller energie aan dan volwassenen.

b) Mensen van alle leeftijden maken evenveel energie aan, maar volwassenen zijn gewoon veel slomer.

5. Waarom worden sommige mensen te dik?

a) Ze eten te veel.

b) Hun lichaam verbrandt eten langzamer en wat overblijft wordt opgeslagen als vet.

6. Wanneer gebruiken je hersenen de meeste energie?

a) Tijdens een proefwerk.

b) Als je droomt.

7. Waarom voelen mensen zich 's ochtends moe?

a) Hun lichaam is verzwakt, omdat ze de hele nacht niets gegeten hebben.

b) Hun hersenen hebben glucose nodig.

Antwoorden:

1. a) Ja, baby's hebben echt centrale verwarming! Ze hebben een soort vet dat bruin vet heet (en waar volwassenen veel minder van hebben). De mitochondria in het vet verwerken brandstof op een manier die extra veel warmte produceert, zodat de baby beter warm kan blijven.

2. b) Als je gaat hardlopen, straalt je lichaam net zoveel warmte uit als tien gloeilampen. Met zeven minuten squashen kun je genoeg warmte produceren om een liter water te koken.

3. b) Sorry, Harvey Tucker! De Amerikaanse wetenschapper Raymond Pearl (1879-1940) heeft ooit een artikel geschreven waarin hij beweerde dat antwoord **a)** juist was. Maar hij nam zijn eigen advies niet ter harte en schreef maar liefst 700 artikelen en 17 boeken. En hij werd alsnog 61 jaar.

4. a) Kindermitochondria werken op volle toeren en maken genoeg energie aan voor veel activiteit en lichaamsgroei. Als je ouder wordt, gaan ze langzamer werken. En tegen de tijd dat je net zo stokoud bent als een bejaarde leraar, heb je nergens meer fut voor.

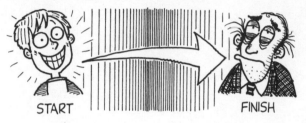

START   FINISH

5. a) Mensen met overgewicht maken vaak meer energie aan dan dunnere mensen. Het idee dat dikke mensen niet te veel eten is afkomstig uit onderzoeken waarin dikkerds logen over hun eetgewoonten. Nu denk je misschien dat dikke mensen meer eten, omdat ze gulzig zijn? Wetenschappers hebben ontdekt dat te dikke mensen er gewoon langer over doen om een vol gevoel te krijgen dan dunne sprieten.

6. b) Als je tijdens je proefwerk in slaap valt en aan het dromen slaat, gebruiken je hersenen zelfs meer energie dan als je wakker bent! Misschien iets om je lerares mee af te troeven als ze merkt dat je ligt te pitten tijdens je proefwerk…

7. b) Je hersenen hebben glucose nodig om energie te maken. Je bloed bevat maar voor een uur glucose, maar gelukkig slaat je lever glucose op in de vorm van een chemisch stofje dat glycogeen heet om je aan de gang te houden. 's Morgens hebben je hersenen honger en willen ze meteen glucose hebben! Daarom ben je zo moe en licht in het hoofd als je opstaat. Als je dan niet snel een licht verteerbaar ontbijtje neemt, gaat het licht die dag helemaal niet meer aan!

Pauzetoets voor leraren

Klop om een uur of drie 's middags kalm en beleefd aan bij de lerarenkamer. Als de deur opengaat, lach je vriendelijk naar je lerares en je vraagt:

Antwoord:

Jazeker. Wetenschapper Robert Thayer van de universiteit van Californië ondervroeg een hele hoop mensen. Zo ziet de dag van je leraar eruit volgens zijn onderzoek:

7 uur 's ochtends: Slaperig wakker worden…

11 uur: Energieniveau is gestegen…

3 uur 's middags: Energieniveau is laag…

7 uur 's avonds: Energieniveau stijgt weer.

11 uur: Energieniveau keldert. Bedtijd!

Vermoeide mensen zijn vaak chagrijniger dan normaal en lichaamsbeweging is het beste medicijn. Ai, eigenlijk had ik je eerder al moeten waarschuwen…

Natuurlijk kan zo'n leraar proberen zichzelf weer op de been te brengen met een lekker kopje hete thee. Maar in die kop thee gebeurt iets heel interessants. De warmte gaat alle kanten op. Hij warmt het kopje op, hij warmt je leraar op... en uiteindelijk warmt hij het hele heelal op.
Wat gebeurt hier in hemelsnaam?
Zit je er warmpjes bij voor het volgende hoofdstuk?

STIKKEN VAN DE HITTE

We hebben het al gehad over kou (gebrek aan warmte-energie), maar nu wordt het tijd voor hitte. Tijd om dit verhaal vol vuur op te stoken tot het kookpunt... en daar voorbij.
Maar eerst een kort vraagje...

HOE KAN WARMTE ZICH VERSPREIDEN
DOOR DE KOSMOS?

Ai, dat is een lastige! We hebben Koos van de Kook er nog maar eens bij gehaald om al je vragen te beantwoorden. Laten we hopen dat hij het hoofd een beetje koel weet te houden...

Waanzinnig wetenschappelijk vragenuurtje

STOFFEN WAAR WARM- TE MAKKELIJK DOOR- HEEN GAAT, NOEMEN WE GOEDE WARMTE- GELEIDERS. METALEN BIJVOORBEELD.

EN WAT DACHT U VAN MIJN OPA?

JE OPA?!

DIE WAS ZO HARD ALS STAAL!

EEN ISOLATOR IS EEN SLECHTE GELEIDER. ZO- ALS LUCHT BIJVOOR- BEELD, EN PLASTIC. EN DE MODIEUZE, WOLLEN SPENCER DIE IK AANHEB.

WARMTE KAN ZICH OOK VER- SPREIDEN DOOR CONVECTIE, OFTEWEL OVERBRENGING. DAT BETEKENT DAT WARME LUCHT OF WATERMOLECULEN UIT ELKAAR BEWEGEN OMDAT ZE WARMTE-ENERGIE HEBBEN.

WAAR- OM DOEN ZE DAT?

WARMTE MAAKT LUCHT OF WATER LICHTER DAN DEZELFDE HOEVEELHEID KOUDE LUCHT OF KOUD WATER. DUS STIJGT DE WARMERE STOF OMHOOG.

VLIEGT EEN OVERVERHITTE LERAAR OOK DE LUCHT IN?

EN WARMTE KAN ZICH OOK VERSPREIDEN VIA STRALING.

STRALING

ALS JE BESCHOTEN WORDT MET ENERGIESTRALEN?

Conductie in actie

Conductie (geleiding dus) en isolatie zijn zo doodgewoon dat ik durf te wedden dat je het echt overal tegenkomt, zelfs als je stront in je ogen hebt. Lees maar!

Wist je niet, hè?

Bij koud weer komt er damp van mesthopen af. De warmte-energie wordt gemaakt door miljarden microben die lekker liggen te knagen op al die overheerlijke koeienpoep. Maar mest bevat heel veel lucht, water en halfverteerde plantenresten – allemaal goede isolatoren - zodat er zulke hoge temperaturen in zo'n mesthoop kunnen ontstaan, dat de hoop begint te dampen. Zin in een stoombadje?

Durf jij te ontdekken... wat een sok met ijs doet?

Dit heb je nodig:
Een zonnige vensterbank of een felle lamp
Een sok (hoeft niet schoon te zijn, zolang hij maar niet meurt)
Twee ijsblokjes
Twee schoteltjes
Handschoenen om je vingers tegen het ijs te beschermen

Dit moet je doen:
1. Trek de handschoenen aan. Leg een ijsblokje op een van de schoteltjes.
2. Stop het andere ijsblokje in de sok en wikkel de sok er lekker strak omheen. Leg de sok op het tweede schoteltje.

☠ WAARSCHUWING VOOR DE VOLKSGEZONDHEID!

Als je een sok van je pa geleend hebt, pas dan op dat hij hem niet terugvindt en probeert aan te trekken terwijl dit experiment nog aan de gang is. Anders gaan al je mooie plannen voor zakgeldverhoging gegarandeerd de ijskast in.

3. Zet het ijsblokje in de sok 15 cm van de lamp af.

MISSCHIEN HEB JE WAT BOEKEN NODIG OM ALLES OP DE JUISTE HOOGTE TE ZETTEN.

MMM, IK RUIK TE-NENKAAS!

4. Laat het experiment drie kwartier staan.

Je zult merken:
a) dat allebei de ijsblokjes zijn gesmolten?
b) dat het ijsblokje op het schoteltje is gesmolten, maar het ijsblokje in de sok niet?
c) dat het ijsblokje in de sok is gesmolten, maar het ijsblokje op het schoteltje niet?

Antwoord:
b) Het ijsblokje in de sok is als het goed is nog maar half ge-smolten. De sok is, net als alle andere soorten stof, een goede isolator. Een isolator kan een koud voorwerp dus ook langer koud houden!
Kijk maar eens wat er gebeurd is:

WARMTE-ENERGIE

MEESTE WARMTE-ENERGIE OPGEZOGEN DOOR SOK, IJS BLIJFT KOEL.

LAMP

EEN GEÏSOLEERDE SNEEUWPOP BLIJFT LANGER KOUD.

WIE HEEFT MIJN TRUI GEZIEN?

Wetenschapper worden... iets voor jou?

In 1960 onderzocht de Amerikaanse luchtmacht met behulp van vrijwilligers hoeveel hitte een mens kan overleven. Het bleek 260°C te zijn. Wat hadden ze aan?

a) Ze waren spier-, poedel-, moeder- of 'hoe je het ook wilt zeggen'-naakt.

b) Hun gewone kleren.

c) Een vuurvaste onderbroek.

Antwoord:
b) Je kunt 60°C meer hitte verdragen als je kleren aan hebt, want kleren schermen je huid af van de hitte.

Wist je niet, hè?
Op het wereldkampioenschap saunazitten in Finland zitten mensen in hete sauna's met temperaturen tot wel 110°C, dus nog heter dan kokend water. De bedoeling is dat je het vuil uit je poriën zweet. Maar iedereen heeft wel een zwembroek of badpak aan, want volgens de organisatie is het anders niet fatsoenlijk meer.

Een hittegolf kan ook behoorlijk heet zijn. Het zuiden van de Verenigde Staten wordt vrij vaak getroffen door van die helse hittegolven. In 1980 stierven duizenden mensen toen de temperaturen boven de 40°C uitstegen. In Dallas (Texas) zei het hoofd van de Kinderbescherming:

DE LAATSTE WEKEN STROMEN DE GEVALLEN VAN KINDERMISHANDE-LING BINNEN. ALS JE HET WARM HEBT, WORD JE GEWOON SNELLER KWAAD.

Ja, al die oververhitte ouders reageerden zich af op hun kinderen. Je bent dus gewaarschuwd. Het is geen goed idee om meer zakgeld te vragen als je pa aan het overkoken is.

ZEG MAAR NIETS, PAP. IK SNAP 'T AL!

Over hittegolven gesproken, er is een plek op aarde waar het altijd loeiheet is. Het is een van de heetste plekken op aarde. In de tijd van het wilde Westen zei een ooggetuige:

HET IS DE HEL OP AARDE, EN DAT WIL WAT ZEGGEN OP DEZE PLANEET!

We hebben het over Death Valley (letterlijk: Vallei des Doods!) in Californië. Het tijdschrift *Extreem* zocht een onverschrokken, superfitte, ultradappere verslaggever om er een stuk over te schrijven. Ze kwamen uit bij...

HARVEY TUCKERS
GROTE AVONTUUR

Ik moest bij de redactrice komen,
maar ik had mijn smoes al paraat. „Ik kan
niet weg," kreunde ik. „Stuur me niet terug
naar de Noordpool. Straks krijg ik hypodinges en
raak ik al mijn tenen kwijt!"
De redactrice sloeg haar armen over elkaar en
schudde haar hoofd. „Hou je tetter nou even,
vetklep. Je gaat niet naar de Noordpool en je
krijgt geen hypothermie. Een zonnesteek misschien, of last van verbranding of misschien koorts, maar geen
hypothermie."
En toen gaf ze me mijn volgende opdracht: een artikel schrijven over de
effecten van de hitte in Death Valley.
'Death Valley'! Van de naam alleen al krijg
ik het Spaans benauwd!
Maar zoals mijn vader altijd al zei:
een Tucker krijg je er niet onder,
hoe heet het er ook aan toegaat!
Dus ik dacht: No problem. Ik ga daar
gewoon een beetje van het uitzicht
genieten. En ik begon plannen te maken. (Nou
ja, vijf minuten. Daarna ging ik voetbal kijken.)
Toen pakte ik mijn zonnebril, 26 tubes zonne-
brand, mijn laptop, een krat ijskoude cola en zes
familiepakken vanille-ijs. Daar zou ik het wel

mee uithouden! Toen
trok ik mijn zelfge-
maakte hittebesten-
dige pak aan...

IK IN MIJN HITTEPLUNJE!

ZONNEBRIL

DRUIP!   DRUIP!

PARASOL OM ON-
DER TE SCHUILEN
VOOR DE ZON

NAT LAKEN OM MIJN BODY KOEL TE HOUDEN. DIE
GRAFTAK ZEGT DAT WATER WARMTE-ENERGIE MEE-
NEEMT ALS HET OPDROOGT. DAAROM KOEL JE OOK
ZO LEKKER AF VAN ZWETEN!

DAG 1: Wij aussies zijn wel wat hitte gewend,
maar dit was even andere koek! Oef! Het was
bloedheet. Heter zelfs! 48,8°C om precies te
zijn. Ik strompelde naar het zoutmeer, de heetste plek van Death Valley. Binnen een paar tellen was mijn laken compleet opgedroogd. Ik
snakte naar wat schaduw, maar die was
nergens te vinden en mijn ijsjes waren
ook nog gesmolten! Ik voelde me net
een hamburger op de barbecue!
Ik keek snel om me heen en zag dat
de enige levende wezens in de wijde
omgeving (behalve ikzelf) insecten waren die
over het meer werden geblazen, en die insecten
leefden niet lang. Ik besloot dat de grond me hier te

heet onder de voeten werd — letterlijk! Dus kroop ik onder mijn parasol en ging daar op onderzoek uit. Ik plukte wat info van internet, maar mijn laptop smolt! Toen heb ik mijn boek er maar weer eens bij gepakt. Misschien heeft die ouwe dokter G. nog iets te vertellen over hitte...

ZINLOZE ZIEKTES

door dokter H. Graftak

Hoofdstuk 21
De effecten van hitte op het lichaam

Te veel warmte is net zo slecht voor je als te veel kou. Je kunt er zelfs een zonnesteek van krijgen en de temperatuur kan oplopen tot 42°C. Dit is heel gevaarlijk.

In het dorpje Klein-Zeurigem waar ik praktijk houd, komen zonnesteken niet veel voor. Erg jammer, aangezien de zonnesteek een bijzonder interessante kwaal is.

Maar vorige week kreeg ik toch een of andere idioot binnen die klaagde dat hij het een beetje warm had. „Loop ik rood aan?" vroeg hij.

„Doe niet zo achterlijk, man!" zei ik. „Je bent een mens en geen stoplicht."

ZWEET!

OVERVERHITTE IDIOOT

VERVOLG

De gevolgen van een zonnesteek zijn makkelijk op te sommen: koorts, overgeven, hoofdpijn, dorst, verwarring, droge huid…

KOORTS

HOOFDPIJN

DROGE HUID

VERWARRING

DORST

OVERGEVEN

IDIOOT MET ZONNESTEEK

…bewustzijnsverlies en overlijden.
Dus laat dat een warmschuwing, eh… wáárschuwing zijn.
Soms wordt het slachtoffer duizelig en valt hij flauw.
In mijn tijd als legerarts liepen de soldaten tegen lantaarnpalen aan tijdens lange, hete marsen. Hun hartslag vertraagde en ze konden niet meer plassen, of 'urineren', zoals wij dokters het noemen.
De behandeling bestaat uit rusten op een koele plek (ik sloot die soldaten op in een koele voorraadkelder) en veel drinken. Water is het goedkoopst, heb ik ontdekt. De meeste dokters zullen je vertellen dat slachtoffers van zonnesteken hard werken moeten vermijden. Ikzelf ben van mening dat er aan hard werken nog nooit iemand is doodgegaan, dus liet ik ze aardappels schillen voor mijn avondeten.
Waarna ze natuurlijk ook nog gingen klagen over aardappelmoeheid!

Nou, mooi is dat, dacht ik. Ik heb een zonnesteek! En net op dat moment kwam er een of andere bemoeizuchtige wetenschapper langs banjeren. Die bestudeerde hier de hitte. Volgens haar moest ik 4,5 liter water per dag drinken, anders zou mijn lichaam uitdrogen! Ja, echt wel! Ik droop van het zweet. Dus dronk ik al mijn cola op, waarna ik zes uur heb zitten boeren. Uiteindelijk vond ik een motel met airconditioning. Hemels! Ik hees me in

BURP!

mijn zwembroek, dook in de swimming pool en bleef daar tot zonsondergang in liggen, met alleen mijn neus boven water.

DAG 2-10

Ik was nog niet helemaal bijgekomen, dus bleef ik een paar dagen bij het zwembad hangen. Het motel had een great assortiment ijskoude drankjes, koele milkshakes en 64 smaken ijs — yum yum! (Ik vond dat ik ze allemaal moest proeven om te kijken welke het lekkerst was.) Ik dacht niet dat het tijdschrift al te moeilijk zou doen over de rekening!

SLURP!

Heet van de naald…

De aarde wordt steeds warmer! En dat heeft ingewikkelde effecten op ons weer. Op sommige plekken kan het heel droog worden, op andere plekken kunnen overstromingen ontstaan of kan het zelfs kouder worden! Dit is er aan de hand…

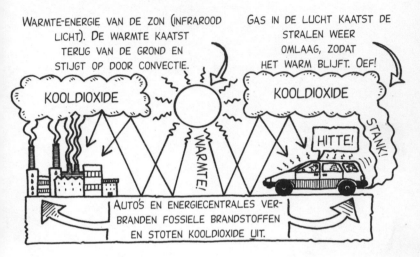

Dit wordt het 'broeikaseffect' genoemd, omdat het gas (vooral kooldioxide) de warmte vasthoudt, net als het glas van een broeikas. Maar wist je dat er nog een gas is waardoor de aarde opwarmt? Dat is methaan. En wist je dat scheten een belangrijke bron van methaan zijn? Vooral koeienscheten (koeien ruften meer dan mensen) en ook de scheten van houtetende insecten die we termieten noemen.

Het broeikaseffect werd ontdekt voor het zelfs maar een probleem werd. De mogelijkheid werd geopperd door de Ierse wetenschapper John Tyndall (1820-1893). Tyndall was een geweldige leraar. (Ja, ze bestaan!) Tijdens een lezing aan het Royal Institution (niet te verwarren met de Royal Society) in Londen gebruikte hij de wetenschap van de energie om cello te spelen... zonder het instrument aan te raken!

Wetenschapper worden... iets voor jou?
Hoe kreeg hij dat nou weer voor elkaar?
Was het dankzij...
a) energie uit laserstralen?
b) de bewegingsenergie van lucht die uit een olifantenslurf kwam?
c) geluidsenergie die door een stang liep en veroorzaakt werd door iemand die piano speelde in de kelder?

Antwoord:
c) De geluidsenergie plantte zich voort door de stang en bewoog de snaren van de cello.

Helaas kwam Tyndall treurig aan zijn eind: hij werd per ongeluk vergiftigd door zijn vrouw, die hem te veel gaf van de medicijnen die hij slikte.

In het volgende hoofdstuk kom je zulke dodelijk hoge temperaturen tegen dat de opwarming van de aarde er een kille bedoening bij lijkt. Hoor je de volgende brandend hete bladzijden nog niet knetteren en sissen onder je vingers?

IN VUUR EN VLAM

Als je ergens warmte-energie in stopt, kunnen er drie dingen gebeuren:

1. Een vaste stof kan vloeibaar worden, zoals Harveys ijsjes en zijn laptop een paar bladzijden terug.

2. Als de stof al vloeibaar is, kan hij een gas worden, zoals water dat aan de kook raakt.

3. Of hij vliegt in brand.

Wetenschappers noemen de eerste twee effecten een 'fase-overgang' (omdat iets van bijvoorbeeld de vloeibare fase overgaat in de gasfase). Wat er gebeurt, is dat de warmte-energie de atomen zo hard aan het wiebelen brengt dat ze zich losrukken van de atomen naast zich. Als ze dicht in de buurt van hun buren blijven, wordt de stof een vloeistof, maar als ze op avontuur gaan, vormen ze een gas.

Vuur (met een chic woord 'verbranding') is weer iets anders...

137

Dossier extreme energie

NAAM: *Verbranding*

DE SIMPELE FEITEN: 1. *Neem een voorwerp, gooi er heel snel een heleboel zuurstof bij en vermeng dit met een flinke hoeveelheid hitte, en dan krijg je vuur. (Je kunt je leraar testen: vraag hoe ze vuur maakten voordat zuurstof was uitgevonden!)*

GEEF SNEL WAT ZUURSTOF EN HITTE!

EEN VOORWERP
(PRUIK VAN JE LERAAR)

2. *Het is in feite een chemische verandering en net als alle chemische veranderingen kan het heel snel gaan… of langzaam.*

3. *Vuur haalt opgeslagen chemische energie uit het brandende voorwerp en laat warmte-energie en meestal ook lichtenergie vrijkomen.*

VOORWERP + ZUURSTOF + HITTE = VLAMMEN & LICHT

EXTREME DETAILS: *Een vroege mensachtige die we 'homo erectus' noemen, gebruikte ongeveer 500.000 jaar geleden al vuur om op te koken.*

AU!

138

Wetenschappers hebben hun vuurresten gevonden bij de Chinese hoofdstad Beijing. Misschien stond daar ooit wel het eerste Chinese restaurant!

MAMMOET IN ZOET-ZURE SAUS! INTERESSANT!

Vijf fatale vuurfeiten

1. Levend verbrand worden was in veel landen de straf voor hekserij of kritiek op de kerk. Gerolamo Cardano kwam ook bijna op de brandstapel, weet je nog? Als de beul een goeie dag had, smeerde hij het slachtoffer in met een soort snelbrandende teer, pek genaamd, zodat hij sneller doodging.

HEB JE AL PEK GEHAD?

PEK? NEE, WEL PECH!

2. In Engeland werden vrouwen levend verbrand als ze hun man vermoordden of als ze stukjes zilver van zilveren munten afsneden. De laatste vrouw die dit lot onderging, was Catherine Murphy in 1789. Een ooggetuige zei:

ZE GEDROEG ZICH UITERST WAARDIG, MAAR WAS DIEP GESCHOKT OVER DE VRESELIJKE STRAF DIE HAAR WACHTTE.

Geen wonder dat ze geschokt was – een man was ervan afge-
komen met een lekkere snelle dood door ophanging.

3. In het oude China werden criminelen gebakken in olie. De
Engelse koning Hendrik VIII (1490-1547) beval dat mensen
die iemand hadden vergiftigd, gekookt moesten worden.

4. Archeologen hebben skeletten bestudeerd uit Hercula-
neum, een Romeins stadje dat in het jaar 79 werd verwoest
door de vulkaan Vesuvius. De mensen waren gestorven door
superverhitte gassen en de archeologen ontdekten dat hun
hersens aan de kook waren geraakt terwijl ze nog leefden.

5. Volgens de verhalen zijn sommige mensen in het verleden
zomaar in brand gevlogen. Dit wordt spontane zelfontbranding genoemd. Een mogelijkheid is dat er in scheten gassen
zitten, zoals fosfaan en methaan, die heel makkelijk vlam vatten. Dus misschien ontstond de brand letterlijk in een poep en
een scheet? Voel jij je ineens ook zo schijterig worden?

Wetenschapper worden… iets voor jou?

Het menselijk lichaam vliegt in brand bij zo'n 600-950°C. Sommige slachtoffers van spontane zelfontbranding branden tot de grond toe af, terwijl hun omgeving geen schade oploopt. Hoe kan dat?

a) Het vuur brandt heel heet en snel, en brandt vanzelf op.

b) Het vuur zorgt dat de mensen van binnenuit ontploffen.

c) Het vuur brandt als een kaars: het verbrandt het vet in het lichaam op hoge temperaturen, maar het breidt zich niet uit.

Antwoord:

c) Minder vette stukjes, zoals de benen, blijven vaak achter in de as. In 1986 stak een wetenschapper van de universiteit van Leeds (in Engeland) een dood varken in brand, met ongeveer hetzelfde resultaat. Nog iemand trek in eieren met spek?

Wist je niet, hè?

Vroeger dacht men dat de slachtoffers dronkelappen waren en dat het vuur zo heet werd door de alcohol die opbrandde. Dus probeerde de wetenschapper Justus von Liebig (van bladzijde 110 weet je nog?) stukjes dood mens in alcohol te weken en in brand te steken. Het brandde niet. Toen voerde hij ratten dronken en stak ze toen in brand, maar die brandden ook niet.

WAARSCHUWING VOOR DE VOLKSGEZONDHEID!

Je hamster dronken voeren en in brand steken is afgrijselijk wreed en gevaarlijk. Wie dit experiment uitvoert, kan worden opgesloten tot hij geen bedreiging meer vormt voor hamsters, en hun eigenaren.

HIK!

Wetenschapper worden… iets voor jou?

Op eilanden in de Stille Zuidzee, in India en allerlei andere delen van de wereld lopen de mensen op vuur. Ze lopen over gloeiende sintels van 649°C heet, op hun blote voeten, zonder hun voeten te branden. Hoe kan dat?

a) Dat heeft te maken met warmtegeleiding.
b) Ze hebben vuurvast eelt onder hun voeten.
c) Ze worden beschermd door toverspreuken.

Antwoord:
a) Die sintels zijn van koolstof of het zijn stenen. Dit zijn goede isolatoren. Daardoor komt de hitte langzamer aan bij de voeten van iemand die eroverheen loopt. Die voeten zelf zijn nat of zweterig: dat houdt de hitte ook nog even tegen. En de vuurlopers lopen meestal te snel om hun voeten te branden.

WAARSCHUWING VOOR DE VOLKSGEZONDHEID!

Probeer zoiets niet zelf, want misschien heb jij minder geluk.

Maar over brandende lichamen gesproken, Harvey Tucker is weer bijgekomen van zijn vuurproef in Death Valley en staat nu voor de grootste uitdaging van zijn carrière. Eén ding kan ik je alvast vertellen: hij gaat het ZEER WARM krijgen!

HARVEY TUCKERS
GROTE AVONTUUR

,,Je krijgt nog één kans, watje," snauwde de redactrice. Ze was blijkbaar laaiend over die gigantische rekening van Motel Cool Down. ,,Wil je jezelf uit de brand helpen? Dan ga je nu meteen verslag doen over de brandweer-opleiding. En geen tv dit keer, geen internet en geen motels. Je doet het helemaal alleen!"

,,Alleen...?" stamelde ik.

,,Ja. En ik wil je artikel dinsdag op mijn bureau hebben. Zo niet, dan verbrand ik je con-tract!"

Waar haal ik een ziektebriefje vandaan? vroeg ik me af.

DAG 1:
Alles is cool. We hebben de hele ochtend alleen maar in onze luie stoelen zitten luis-teren naar brandweermannen die vertel-den wat je moet doen als er brand is.
Handige tips gekregen voor als de vlam in je frituurpan slaat. Dan moet je er een deksel op doen of de pan op een andere manier afdekken. Ik zou trouwens best een frietje lusten!

LUNCH: Hard werken, al dat geluister! Ik ging naar de kantine en at zes porties bonen, worstjes, eieren en, jawel, friet. Brandweerlieden zijn grote eters en zelfs ik zat propvol!

143

MIDDAG: 's Middags werd het ietsje ongezelliger. De brandweerinstructeur begon oeverloos te zeuren over brandwonden en brandblaren. Die moet je onder koud stromend water houden en je moet ermee naar de dokter als ze echt erg zijn. Daarna liet hij allerlei smerige plaatjes van brandwonden zien. Die worden een stuk akeliger als het vuur door de huid heen brandt, zodat er geen vel meer op zit. Bovendien kunnen het hart en de nieren ermee ophouden als het bloed naar de wond stroomt.

Daarna keken we naar plaatjes van verbrande dode mensen. De anderen tenminste, want ik hield mijn handen voor mijn ogen. Als je een verbrand lijk optilt, kunnen de darmen eruit vallen en de armen en benen loslaten.

Ik moest even de zaal uit!

Ik nam een kijkje in de kantine om te zien wat ze als avondeten hadden. Weer worstjes. Ik ging er snel vandoor met mijn hand voor mijn mond, want ik ging zowat over mijn nek!

Nou, Harvey, dacht ik, erger zal het wel niet worden.

Maar ik had het totally mis...

De brandweerman zei dat ze morgen zouden testen of we het zouden overleven in een echt brandend huis!

Leuk hoor, NOT! Als ik doorging met de cursus, zou ik misschien in brand vliegen, en als ik hem smeerde, zou mijn redactrice me het vuur na aan de schenen leggen!

DAG 2:

De dag begon meteen slecht...

„Het voornaamste gevaar," zei de brandweerman, „is een grote steekvlam doordat er ineens vrijgekomen gassen ontvlammen of doordat het vuur ineens een heleboel lucht krijgt. Probeer je een hitte-explosie van 1000°C voor

te stellen. Dat is heet genoeg om de kleren van je lijf
te schroeien en
je botten open te splijten. Het is zo heet
dat zelfs een straal water uit de brand-
slang direct verdampt."
Ik probeerde het me voor te stellen,
deed toen mijn ogen dicht en dacht aan
eten. Daar word ik meestal wel rustig
van, maar nu kon ik alleen aan geflambeerde toetjes denken!
Na een horrible uur wachten en tien bezoekjes aan
de plee was het mijn beurt. Ze hebben een le-
vensgroot gebouw op het opleidingster-
rein staan waar ze oefenbrandjes aansteken. Ik kwam terecht in de slaapkamer...
„Doe de deur dicht!" schreeuwde de
brandweerinstructeur door zijn megafoon.
Ik deed wat hij zei, maar er begon rook
onder de deur door te kruipen.
„Leg een natte handdoek
tegen de spleet," riep hij.
Ik vond een hand-
doek, maar die was zo
droog dat ik maar om hulp riep.
„Er zit een kraan bij de wasbak!"
„Ik zie hem niet! Er is te veel rook!" gilde ik.
Ik kon inderdaad geen hand voor ogen zien. Maar toen
vond ik de kraan gelukkig toch. Ik maakte de handdoek
nat en propte hem onder de deur. Toen maakte ik mezelf
nat — gewoon met water uit de kraan, natuurlijk. Ik dacht dat dat wel zou helpen
tegen in brand vliegen.
„Maak dat je dat gebouw uitkomt,
SPAT! Tucker!" blafte de brandweerman.

HELP!

Ik kroop naar het raam en keek omlaag. De grond leek een behoorlijk eind weg.

"En nu?" riep ik angstig.

"Gooi wat beddengoed uit het raam en spring!"

Ik deed wat hij zei. Nou ja, behalve het laatste dan.

"Waar wacht je nou op, schijtlaars?!" schreeuwde de brandweerman, die wat dichterbij kwam om iets te zien door de rook die toch nog altijd uit de ramen kwam.

Ik kon niet antwoorden, omdat ik mijn longen uit mijn lijf hoestte.

Dus toen sprong ik. Het was makkelijk en het was ook wel handig dat die brandweerman klaarstond om me op te vangen. Nou ja, ik weet niet of het wel echt zijn bedoeling was, maar hij mag waarschijnlijk over een paar weken alweer het ziekenhuis uit...

IEKS!

Heter en heter...

Er is maar een ding dat nog erger is dan een steekvlam, en dat is een vuurstorm: een verschrikkelijke, moorddadig grote brand die met orkaankracht alle lucht – en zelfs mensen – naar zich toe zuigt. De temperaturen kunnen oplopen tot 800°C. Dat is heet genoeg om glas en lood te smelten. Zo'n vuur breidt zich vanzelf uit: de huizen in de buurt worden zo heet dat ze vanzelf in de fik vliegen. En het vuur vreet ook alle lucht in de buurt op, zodat iedereen die niet verbrandt alsnog doodgaat door zuurstofgebrek.

146

Maar een vuurstorm is niet het heetste dat er is. Het is niets vergeleken met de hitte die elke dag wordt uitgestraald door onze eigen, gezellige buurtster...

Dossier extreme energie

NAAM: *Zonne-energie*

DE SIMPELE FEITEN: 1. *De energie van de zon wordt veroorzaakt door de zwaartekracht. Binnen in de zon perst de zwaartekracht waterstofatomen zo hard op elkaar dat het helium- atomen worden.*

2. *Dit zorgt voor enorme hoeveelheden warmte- en lichtenergie. Midden in de zon is het 15.000.000°C (vijftien miljoen graden Celsius!) heet en zelfs de buitenkant is behoorlijk warm: meer dan 5500°C.*

LICHT!

WARMTE!

100.000.000°C! PUF! IK TREK EVEN MIJN JASJE UIT...

300.000.000°C! ZWEET! IK DOE MIJN OVERHEMD UIT...

3. *In 1994 probeerden wetenschappers aan de Amerikaanse Princeton universiteit op dezelf- de manier energie op te wekken. Dus verhit- ten ze atomen tot 510 miljoen graden Celsi- us. Dat is 34 keer zo*

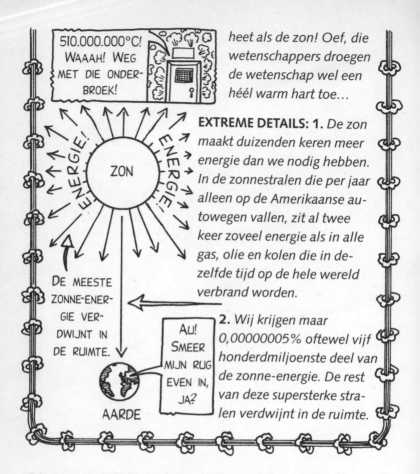

heet als de zon! Oef, die wetenschappers droegen de wetenschap wel een héél warm hart toe...

EXTREME DETAILS: 1. *De zon maakt duizenden keren meer energie dan we nodig hebben. In de zonnestralen die per jaar alleen op de Amerikaanse autowegen vallen, zit al twee keer zoveel energie als in alle gas, olie en kolen die in dezelfde tijd op de hele wereld verbrand worden.*

2. *Wij krijgen maar 0,00000005% oftewel vijf honderdmiljoenste deel van de zonne-energie. De rest van deze supersterke stralen verdwijnt in de ruimte.*

Die zon van ons klinkt behoorlijk bijzonder, of niet?

Maar eigenlijk is het niks speciaals. Gewoon een van de miljarden en nog eens miljarden sterren in het heelal. Voor echte energie moeten we terug naar de oerknal. Die vormde ongeveer 15 miljard jaar geleden het begin van het heelal.

Alle energie van het heelal zat samengeperst in een piepklein puntje dat nog kleiner was dan een atoom. En dat punt was zo heet dat niemand kan zeggen hoe heet precies. Zelfs toen het een beetje was afgekoeld, was het nog steeds tien quadriljard graden Celsius. (Een 1 met in totaal 28 nullen erachter!) Gelukkig waren er toen nog geen mensen, anders hadden we het net zo snel afgelegd als een chocoladereep in een magnetron. Eh... veel sneller dus. In de tussentijd werd dat puntje steeds groter – en het groeit nog altijd door!

TEKENING OP WARE GROOTTE VAN HET HEEL-AL VOOR DE OERKNAL.

Weet je nog wat er in de eerste wet van de thermodynamica staat? Die zegt dat energie niet verloren gaat, maar dat warmte in bewegingsenergie kan veranderen. Dus alle energie die je maar kunt bedenken, alle energie van dieren en elektriciteit, de energie in je spieren en je kloppende hart, is allemaal ontstaan tijdens de oerknal. En sporen van die oerknal kun je elke avond op je eigen televisie bekijken. Echt waar!

Durf jij te ontdekken... hoe je de oerknal op tv kunt zien?

Dit heb je nodig:
Een tv

Dit moet je doen:
1. Zet de tv aan.
2. Zet hem op een zender waar geen tv-kanaal op zit.

149

Je zult merken:

a) dat er rare marsmannetjes op het scherm verschijnen?

b) dat je honderden kleine lichtpuntjes rond ziet dansen?
c) dat je vreemde patronen ziet die op ontploffingen lijken?

> *Antwoord:* **b)** Die stipjes worden veroorzaakt door micro-golven, dus door dezelfde energie waarmee je die chocola-dereep kunt laten smelten in de magnetron. Maar deze mi-crogolven zijn er al sinds de oerknal. De microgolven zijn de laatste echo's van die gigantische energie-uitbarsting en ze zweven voor eeuwig door de koude, lege ruimte. En ze zijn een stuk interessanter dan sommige tv-programma's, kan ik je wel vertellen. Dus eindigen we dit hoofdstuk met…

HÉ, JE HEBT BELOOFD DAT JE ZOU VERTELLEN WAT ER MET HET HEELAL GAAT GEBEUREN!

WEER DIE OP-LETTENDE, BIJ-DEHANTE, LEER-GIERIGE LEZER.

O ja, sorry, dat was ik even vergeten! Ach, het is maar een de-tail. Het uiteindelijke lot van het heelal is…

> Oeps, sorry lezers, daar hebben we in dit hoofdstuk geen ruimte meer voor, dus je moet even verder bladeren…

EINDELOZE ENERGIE?

Energie is overal: in het zingen van de vogels en in het wuiven van het gras. Het maakt ons lekker warm en het is een dodelijk monster tijdens uitslaande branden. Het zit in het omslaan van deze bladzijden en in ieder vleugje stoom als we aardappelen koken. Energie is de hartslag van het heelal en zonder energie zou het heelal doodgaan.

De oerknal en de wetten van de thermodynamica geven een idee van wat de toekomst gaat brengen. Vooral in de tweede wet (ja, die wet die zegt dat er altijd warmte-energie verloren gaat) zit een barre boodschap. Zoals de Schotse wetenschapper James Clerk Maxwell (1831-1879) het zei:

ALS JE EEN GLAS WATER IN ZEE GOOIT, KRIJG JE HETZELFDE GLAS WATER NOOIT MEER TERUG.

Klinkt aannemelijk. En als je me niet gelooft, kun je het altijd proberen als je weer eens een dagje naar het strand gaat...

WAAR IS MIJN FRISDRANK?

Wat Maxwell bedoelde, is dat het heelal een steeds grotere wirwar wordt. Net als druppels water die zich vermengen met de zee en nooit meer uit zichzelf netjes bij elkaar komen.

Kijk nu eens naar energie. Het heelal begon als een klein, overzichtelijk stipje energie dat netjes op één plek zat. Maar nu is het een rommelige wirwar van hete sterren en koude ruimte, en het wordt alleen maar erger. Volgens de tweede wet gaat energie altijd verloren in de vorm van warmte-energie. Maar waar gaat al die energie dan naartoe? Ook daar heeft de tweede wet een antwoord op: warmte gaat altijd naar de koudste plek die het kan vinden. En dat is uiteindelijk altijd de ruimte.

En als die energie eenmaal de ruimte in is, kan niemand hem ooit meer terug krijgen. Nooit, nóóit meer. Dat betekent dat alle energie in het heelal op een dag veranderd zal zijn in warmte, die is weggezweefd in de ruimte. De sterren gaan dan uit als nachtkaarsen en de planeten gaan dood van de kou. Uiteindelijk zullen zelfs de stoffige resten van de sterren en planeten in warmte-energie veranderen en wegwaaien.

Het heelal wordt dan een dunne, koude soep van kleine beetjes atomen die rondzweven in de donkere leegte. De tijd gaat gewoon door, maar er zal helemaal niets meer veranderen en nooit meer iets gebeuren.

ZOEK DE VERSCHILLEN

HET EINDE VAN HET HEELAL

SCHOOLKLAS MET ALLE LICHTEN UIT

En uiteindelijk zal het heelal doodgaan aan het verlies van energie – als het zich voor die tijd tenminste niet dood verveelt! Maar het is niet iets dat deze week al gaat gebeuren. Sommige wetenschappers denken dat het nog wel een quintiljoen jaar (een 1 met 30 nullen erachter) kan gaan duren voor het zover is. Ze hebben dus nog tijd genoeg om te bedenken hoe ze de warmte-energie terug moeten krijgen of misschien zelfs een mooi nieuw heelal voor ons te vinden.

Of misschien ontdekken we een nieuw soort energie. Mensen die in ruimteschepen geloven, beweren dat die misschien werken op een of andere soort anti-zwaartekracht. Die moet ook ergens zijn energie vandaan halen, en misschien komen we er op een dag wel achter hoe dat werkt…

Wist je niet, hè?

In 1878 wilde de uitvinder Thomas Edison (1847-1931) anti-zwaartekrachtondergoed uitvinden dat zomaar in de lucht bleef zweven! Op een tekening uit die tijd zie je een vader die zijn zwevende kinderen op sleeptouw neemt.

Zou JIJ graag op school verschijnen in zo'n onderbroek?

Wat erger (en ernstiger) is, is dat we nog steeds bijna alles doen op energie uit olie, gas en kolen, en dat we onze planeet langzaam aan de kook brengen met het broeikaseffect. Zoals gewoonlijk verzinnen wetenschappers allerlei oplossingen. Maar wat ze ook doen, het kan niet missen of er komen nieuwe, duurzame energiebronnen, zoals zonne-energie, geothermische energie, windenergie of waterenergie. Die raken tenminste niet op, zoals fossiele brandstoffen, en ze stoten geen gassen uit die de aarde opwarmen.

Tegelijkertijd komen er ook steeds meer mensen op de aarde en steeds meer mensen gaan de ruimte in. Dus we zullen nog veel meer energie nodig hebben! Daarom laten we tot slot een paar mogelijkheden voor de toekomst zien:

SATELLIET ZUIGT STROOM UIT ZON!

Wetenschappers zijn door het dolle heen dankzij een gigantische satelliet die om de zon heen draait en energie aftapt. Die energie straalt hij naar de aarde in de vorm van microgolven. Een opgewekte bolleboos zei: ,,Achter de wolken schijnt de zon!"

PROEF MET POEP-POWER !

Vandaag is bekendgemaakt dat een interplanetair ruimteschip wordt aangedreven door energiecellen die werken op bacteriën die rottende astronautenpoep opeten. De universiteit van Michigan in de VS begon in 2000 aan dit project. Een wetenschapper zei: ,,Er zit misschien een luchtje aan, maar het werkt wel!"

PFRT!

ENERGIECEL MET SUPERKRACHT!

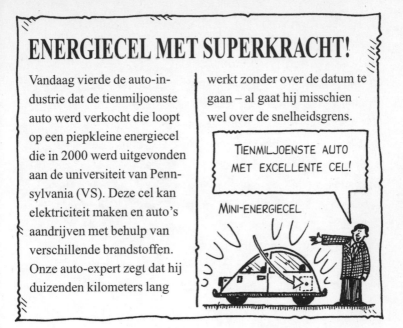

Vandaag vierde de auto-industrie dat de tienmiljoenste auto werd verkocht die loopt op een piepkleine energiecel die in 2000 werd uitgevonden aan de universiteit van Pennsylvania (VS). Deze cel kan elektriciteit maken en auto's aandrijven met behulp van verschillende brandstoffen. Onze auto-expert zegt dat hij duizenden kilometers lang werkt zonder over de datum te gaan – al gaat hij misschien wel over de snelheidsgrens.

Eén ding is zeker: de wetenschap is door de eeuwen heen al heel wat te weten gekomen over energie. En misschien vinden slimme mensen op een dag wel een manier om al die extreme energie echt eindeloos te kunnen blijven gebruiken.

Over de auteur

Nick Arnold schrijft al van kinds af aan verhaaltjes en boeken, maar hij had nooit gedacht dat hij beroemd zou worden met een boek over extreme energie. Tijdens zijn onderzoek voor dit boek bouwde hij zijn eigen stoommachine en deed hij mee aan een uitputtende triatlon... Hij heeft zich geen moment verveeld. Als hij zich even niet aan waanzinnige wetenschap waagt, doet hij aan pizza eten, fietsen en geinige grappen bedenken (maar niet allemaal tegelijk).

Over de illustrator

Tony De Saulles pakte een keer een potlood op toen hij nog in de luiers zat en is nooit meer met tekenen opgehouden. Hij neemt Waanzinnig om te Weten waanzinnig serieus en liet zich zelfs overhalen om radioactieve atomen te tekenen. Gelukkig is hij weer helemaal hersteld.
Als Tony niet met zijn schetsblok op pad is, schrijft hij gedichten of gaat hij squashen, hoewel hij nog nooit een gedicht over squashen heeft geschreven.

REGISTER

159